RETRATO DE UM VICIADO
QUANDO JOVEM

BILL CLEGG

Retrato de um viciado quando jovem

Tradução
Julia Romeu

1ª reimpressão

Grafia atualizada segundo o Acordo Ortográfico da Língua Portuguesa de 1990, que entrou em vigor no Brasil em 2009.

Título original
Portrait of an addict as a young man

Capa
Elisa v. Randow

Preparação
Ciça Caropreso

Revisão
Marina Nogueira
Márcia Moura

Dados Internacionais de Catalogação na Publicação (CIP)
(Câmara Brasileira do Livro, SP, Brasil)

Clegg, Bill
Retrato de um viciado quando jovem / Bill Clegg ; tradução Julia Romeu. — São Paulo : Companhia das Letras, 2011.

Título original: Portrait of an addict as a young man
ISBN 978-85-359-1824-3

1. Clegg, Bill 2. Toxicômanos – Estados Unidos – Biografia I. Título.

11-01152 CDD-362.29092

Índice para catálogo sistemático:
1. Estados Unidos : Toxicômanos : Biografia 362.29092

[2011]

EDITORA SCHWARCZ LTDA.
Rua Bandeira Paulista, 702, cj. 32
04532-002 — São Paulo — SP
Telefone: (11) 3707-3500
Fax: (11) 3707-3501
www.companhiadasletras.com.br
www.blogdacia.com.br

Para quem ainda estiver lá fora

Pense na luz e no quão longe ela cai, para nós. Cair, dizemos nós,
citando uma forma fundamental de ir até o mundo — caindo.

William Kittredge, Um buraco no céu

Sumário

Raspas

Não posso ir embora, e não há o bastante.

Mark está a toda na beirada do seu sofá preto de vinil, fazendo um discurso que ele considera genial. Ele parece um tradutor para deficientes auditivos movimentando-se com o triplo de velocidade — as mãos se agitando, braços e ombros se sacudindo todos. As pernas também se mexem, cruzam e se descruzam a intervalos regulares abaixo de seu corpo alto e esquelético. A mania de cruzar as pernas é a única coisa em Mark com alguma ordem. O resto é um turbilhão de espasmos e movimentos súbitos — ele é uma marionete controlada por um titereiro frenético. Seus olhos, assim como os meus, são duas bolas de gude negras e opacas.

Mark está tagarelando sobre um vendedor de crack de quem ele costumava comprar e que foi preso — dizendo como ele já sabia que aquilo ia acontecer, como ele sempre sabe —, mas eu não estou prestando atenção. Tudo que me interessa é que não tem mais nada no nosso saquinho. O minúsculo Ziploc transparente que há pouco tempo estava repleto de pedras de crack está vazio agora. O sol começa a sair e os traficantes desligaram seus celulares.

Meus dois traficantes são Rico e Happy. Segundo Mark, todos os traficantes de crack se chamam Rico ou Happy. Rico não apareceu nas últimas vezes que eu liguei. Mark, que faz questão de saber a movimentação diária e a localização exata de uma meia dúzia de traficantes, afirma que Rico voltou a se viciar em Xanax e que isso está começando a deixá-lo mais lento. No ano passado, ele ficou três meses sem sair de seu apartamento em Washington Heights. Por enquanto estou ligando para Happy, que aparece sempre depois da meia-noite, quando meu limite de saque de mil dólares volta a zerar e eu posso tirar dinheiro de novo. Happy é o mais confiável dos dois, mas Rico muitas vezes faz entregas em horários que os outros traficantes não fazem. Ele vem no meio do dia, sempre muito atrasado, mas num momento em que os outros estão dormindo, fechados para o público. Chega reclamando e te entrega um saquinho magro, mas vem mesmo assim. Ligo para o telefone de Rico do celular de Mark, mas sua caixa postal está cheia e não aceita mais mensagens. Ligo para Happy e caio direto na caixa postal dele.

Happy e Rico vendem crack. Não vendem cocaína para cheirar, maconha, Ecstasy ou outra coisa. Eu só compro saquinhos de crack pronto. Algumas pessoas insistem em preparar seu próprio crack — uma operação complicada que requer cocaína, bicarbonato de sódio, água e fogão —, mas nas poucas vezes em que tentei fazer isso desperdicei a cocaína, queimei as mãos e acabei só conseguindo uma bolota grudenta que mal podia ser fumada.

“Passe o raspador”, Mark grunhe. Seu cachimbo — um pequeno tubo de vidro com Bombril enfiado numa das pontas — está repleto de resina e por isso, depois que ele raspa tudo e coloca o Bombril de novo, a gente sabe que vai poder fumar pelo menos mais algumas vezes. Mark ajeita as pernas como uma aranha, e por um instante parece que ele vai tombar para a frente. Ele aparenta ter mais de sessenta anos — rosto cinzento, rugas, ossos protuberantes —, mas garante que tem quarenta e poucos. Faz três anos que eu venho ao apartamento dele, com cada vez mais frequência, para me drogar.

Eu entrego a Mark a vareta de metal pontuda que até ontem à noite fazia parte da armação de náilon de um guarda-chuva. Raspadores são feitos de todo tipo de coisa — os mais comuns são de cabides de metal, aqueles sem pintura; mas as armações dos guarda-chuvas têm varetas longas, e às vezes concavidades meio cilíndricas, que são particularmente eficientes para raspar cachimbos e conseguir uma ou duas tragadas milagrosas quando o saquinho já está vazio, e antes de surgir a necessidade de procurar no sofá e no chão por aquilo que eu chamo de migalhas e que Mark chama de poeira e que todo viciado em crack sabe ser seu último recurso enquanto não consegue arrumar mais pedras.

Eu estico o braço para entregar o raspador a Mark e ele estremece. O cachimbo escorrega de suas mãos, cai em câmera lenta entre nós dois e se despedaça no chão de parquê arranhado.

Mark ofega mais do que fala. "Ai. Ai, não. Ai, Jesus, não." Num segundo ele se põe de joelhos para examinar aqueles fragmentos. Mark pega diversos pedaços maiores de vidro, se aproxima da mesa de centro, dispõe os cacos em cima dela um por um e começa a raspá-los com a vareta do guarda-chuva. "Vamos ver. Vamos ver", murmura consigo mesmo enquanto esfrega freneticamente cada pedaço. Mais uma vez suas juntas e membros parecem animados não pela vida, mas por cordas que o comandam — de forma furiosa, meticulosa —, obrigando-o a representar a pantomima de um febril garimpeiro procurando pepitas de ouro em sua peneira.

Mark não encontra ouro. Larga o raspador e os pedaços de vidro, e seus movimentos cessam. Ele se joga no sofá, onde eu praticamente posso ver os fios que o mantinham ereto largados em torno dele. O saquinho está vazio e são seis da manhã. Estamos aqui há seis dias e cinco noites, e todos os outros cachimbos já foram destruídos.

Os raios do sol matinal brilham por trás das persianas fechadas. Alguns minutos se passam e nada além do gemido baixo dos caminhões de lixo lá fora quebra o silêncio. Meu pescoço lateja e os músculos do ombro estão tensos e duros. O latejamento acompanha a cadência do meu coração, que esmurra meu peito como um punho furioso. Não consigo evitar que meu corpo oscile para a frente e para trás. Vejo Mark se levantar para varrer os vidros e noto como seu corpo oscila junto com o meu, como nosso balanço é sincronizado — duas algas sendo levadas pela mesma correnteza. Fico ao mesmo tempo horrorizado e confortado ao perceber como somos dois iguais na espiral de desolação que se forma quando o crack acaba.

O horror insidioso dessas últimas semanas — recaída; largar Noah, meu namorado, no Festival de Sundance há quase uma semana; mandar um e-mail para minha sócia, Kate, dizendo que ela podia fazer o que quisesse com a nossa empresa, porque eu não ia mais voltar; entrar e sair de um centro de reabilitação em New Canaan, em Connecticut; as diversas noites passadas no hotel 60 Thompson; e o mergulho no terreno árido que é o apartamento de Mark, cercado dos vagabundos que se aproveitam das drogas que sempre sobram numa farra. O filme terrível da minha quase história passa diante dos meus olhos, assim como se revela muito claro, nítido como o dia que surge, o futuro de não ter mais um saquinho e de eu saber que não vou conseguir outro nas próximas horas.

Eu ainda não sei que vou conseguir suportar essas horas terríveis, nervosas, até o começo da noite, quando Happy vai ligar seu celular de novo e entregar mais. Ainda não sei que vou continuar fazendo o que estou fazendo — aqui e em outros lugares parecidos — por mais um mês. Que vou perder quase vinte quilos e que, com trinta e quatro anos, chegarei a pesar menos do que pesava na oitava série.

Também é cedo demais para ver a fechadura nova na porta do meu escritório. Kate vai trocá-la quando descobrir que eu apareci lá durante a noite. Isso vai acontecer algumas semanas mais para a frente. Ela vai ficar com medo que eu roube coisas para comprar crack, mas eu só entro no escritório para sentar diante da minha mesa mais algumas vezes. Para me despedir daquela parte de mim que, pelo menos aparentemente, havia tentado o seu melhor. Da enorme janela aberta atrás da minha escrivaninha, eu verei o Empire State, com sua imponência entediada e as luzes coloridas de sua torre. A cidade vai me parecer diferente, menos minha, mais distante. E a Broadway, dez andares abaixo, estará vazia, um cânion escuro de cinza e negro se estendendo para o norte, da rua 26 à Times Square.

Em uma dessas noites antes de as fechaduras serem trocadas, eu subo na janela e deixo os pés pendurados para fora. Me arrasto até a beirada e permaneço ali, envolto no ar gelado de fevereiro, pelo que me parecem ser horas. Depois desço, sento à escrivaninha de novo e me drogo. Ali eu me lembro de como todo mundo ficou animado quando abrimos nossa empresa cinco anos antes. Kate, nossos funcionários, nossas famílias. Meus clientes — romancistas, poetas, ensaístas, escritores de contos — vieram comigo da velha agência literária, o lugar onde eu havia começado na carreira como assistente depois de me mudar para Nova York. Eles vieram comigo, e havia muita fé no que viria a seguir, muita fé em mim. Eu olho para todos os contratos, memorandos e provas de livros empilhados em minha mesa e me assombro com o fato de eu já ter tido algo a ver com aquelas coisas, com aquelas pessoas. De já ter sido um dia considerado confiável.

No sofá de Mark, observo minhas pernas tremerem e me pergunto se haveria um comprimido de Xanax no armário do banheiro dele. Acho que talvez seja melhor eu ir embora, me hospedar num hotel. Tenho comigo meu passaporte, as roupas que estou usando, um cartão de débito e o boné preto do Departamento de Parques e Jardins de Nova York que recentemente encontrei no banco de trás de um táxi, o que tem uma folha de bordo verde costurada na frente. Ainda tem dinheiro na minha conta. Quase quarenta mil. Eu me pergunto como consegui chegar até aqui; por que será que, por um milagre desnecessário, meu coração ainda não parou.

Mark está gritando da cozinha, mas eu não ouço o que ele diz.

Meu celular toca, mas ele está soterrado debaixo de uma pilha de cobertores e lençóis no outro cômodo, e eu também não ouço isso. Encontro-o mais tarde com a caixa postal cheia de recados apavorados dos meus amigos, dos meus parentes e de Noah. Ouço o começo de um e o apago, junto com todos os outros.

Não vou ouvir o barulho da nova fechadura na porta do apartamento onde eu e Noah moramos por oito anos — como o som mudou de um estalo alegre para um clique baixo que soa no momento em que a tranca abre quando ele vira a nova chave pela primeira vez. Não posso ouvir nada disso. Não posso sentir nenhuma dessas coisas que aconteceram ou estão prestes a acontecer à medida que o edifício da minha vida desmorona — fechadura por fechadura, cliente por cliente, centavo por centavo, confiança por confiança.

A única coisa que ouço enquanto Mark varre com raiva os vidros do chão, e a única coisa que sinto à medida que a cidade vai despertando devagar lá fora, são as exigências coléricas que há nas pontas dos fios que comandam a marionete. Durante toda aquela interminável manhã, durante as horas arrastadas da tarde, e depois, elas vão sendo gritadas mais alto, vão se tornando mais insistentes: puxe com mais força, sacuda sem piedade, arranque o cartão de débito da minha carteira, os dólares dos meus bolsos, os trocos do meu casaco, os vestígios de cor dos meus olhos, a alma do meu corpo.

Saúde

É janeiro de 2001 e Letty, a prima de Noah, está oferecendo um jantar no seu prédio de tijolinhos vermelhos em Brooklyn Heights para comemorar a inauguração da pequena agência literária que eu e minha amiga Kate estamos prestes a abrir. Letty é uma refinada cidadã de Memphis. Formada pela Universidade de Wellesley, viúva, muito jovial e ativa para os seus sessenta e poucos anos, ela possui o entusiasmo luminoso, sorridente e generoso de uma fracassada. Ao contrário de sua chiquérrima irmã, que é casada com um ex-embaixador, Letty sempre pareceu levemente constrangida com sua origem. Ela jamais precisou ganhar a vida, mas sempre menciona seus empregos nos departamentos de design de diversas editoras e os inúmeros anos que passou trabalhando para algumas fundações. Letty tem duas filhas, Ruth e Hannah, pilhas de amigas de juventude com nomes como Sissy e Babs, e vive voltando para Memphis para comemorar aniversários e datas especiais com elas. Letty é uma das pessoas mais gentis que já conheci.

É fim de janeiro, uma semana antes da abertura oficial da agência. Não temos telefones, material de escritório ou contas bancárias.

Estou nervoso porque ainda não contratamos um assistente nem um contador, e mais nervoso por achar que não vamos ter dinheiro para pagar nenhum dos dois. Noah e eu chegamos ao apartamento de Letty dez minutos atrasados, e Kate e seu marido já estão lá. Letty chamou um rapaz para recolher os casacos, servir os drinques e as entradas e organizar a mesa de jantar. Ele tem entre trinta e cinco e quarenta anos, é oriental, bonito, claramente gay, e fica íntimo das pessoas um pouco rápido demais. Seu nome é Stephen, e sua afetação me deixa um pouco envergonhado diante de Kate e seu marido, com os quais não saímos muito e que, nesse momento, assim juntos, me parecem bastante certinhos e bastante heterossexuais.

Stephen pergunta para mim e para Noah o que queremos beber e vai saltitando para a cozinha. Traz duas taças de vinho branco, embora eu tenha pedido uma vodca e Noah um uísque. Stephen fica desconcertado, pede desculpas e volta para a cozinha, mas não retorna. Depois de uns cinco minutos, Letty se levanta para ir procurá-lo. Alguns minutos mais tarde, Stephen aparece com os drinques. Letty está claramente constrangida.

A noite é um exagero. Caviar, camarão e queijos antes do jantar, depois carneiro assado. Eu como demais de tudo e estou empanturrado muito antes de a sobremesa ser servida. Noah e Letty fazem brindes — ambos com lágrimas nos olhos. Eu me remexo, desconfortável, sob os holofotes de seus elogios e, não pela primeira vez, sinto uma culpa enorme por ser tão próximo de uma prima de Noah, embora mal conheça meus próprios primos. Sinto-me mal porque Noah e eu vamos a casamentos e aniversários de primos, irmãos e sobrinhos dele, enquanto eu só vejo minha família uma vez por ano — em geral no Natal —, e mesmo assim apenas por um dia e uma noite.

A caminho do banheiro, peço que Stephen me traga outra vodca. Ele esquece e eu bebo mais vinho. Quando finalmente fico meio alto, olho para as pessoas sentadas à mesa e me pergunto o que é que eu estou fazendo ali. Noites assim eram para as outras pessoas, pessoas como Kate e Noah, que — com seus diplomas de faculdade da Ivy League e o incentivo de suas famílias — parecem ter nascido para brindes e congratulações. Na hora da sobremesa, em vez de beber o vinho do porto que Letty pede que Stephen abra, eu me levanto e pego outra vodca. Stephen vê, se dá conta de que nunca chegou a me trazer a que eu tinha pedido, e a partir de então se apressa em encher meu copo sempre que ele está vazio.

Noah e eu ficamos de mãos dadas durante a volta para casa de táxi. Eu bebi sete ou oito vodcas, pelo menos o mesmo número de taças de vinho, e ainda sinto que poderia beber mais. Penso em tudo que ainda falta fazer nas semanas seguintes para abrir a agência e nas outras duas festas que serão dadas em nossa homenagem. Uma é um coquetel no apartamento novo de uma amiga de Kate, a outra é um jantar para cerca de cinquenta clientes e colegas do mercado editorial, organizado pelo meu amigo David, que também é um dos primeiros autores com quem trabalhei. Eu me preocupo com a possibilidade de precisar fazer um discurso — pelo menos algumas palavras de agradecimento aos anfitriões — nessas duas festas e começo a pensar em como impedir que isso aconteça. Fecho os olhos e tento esquecer o quanto quero ligar para Rico e fumar um pouco. Depois de quatro ou cinco drinques, essa opção em geral surge e fica flutuando diante de mim até eu ligar para ele, ligar para outro traficante ou ir dormir.

É pouco antes de meia-noite e minha mente, aflita, começa a buscar uma forma de fugir de Noah e comprar crack. Digo que esqueci um manuscrito no escritório? Que preciso tirar dinheiro no caixa eletrônico? Nada parece plausível. Quando estamos atravessando a ponte do Brooklyn para voltar a Manhattan, Noah pega as minhas mãos e me diz como está orgulhoso — de mim, da agência. À medida que ele fala, as luzes da ponte refletem em sua barba desgrenhada, em seus olhos gentis, em suas costeletas um pouco longas e no cabelo curto, já com algumas entradas. Eu me aproximo dele e me afasto dos outros pensamentos. O cheiro de Noah é o de sempre — de desodorante Speed Stick e roupa lavada. Relaxo um pouco e por um instante penso que não há tanto assim com que se preocupar, que tudo vai dar certo.

Nessa noite, ao me deitar, me lembro de Stephen, o cara do apartamento de Letty, e de como ele esqueceu de trazer diversos pratos que estavam sendo aquecidos no fogão, de como derramou uma taça de vinho e flertou comigo durante o jantar. Pergunto-me onde Letty foi achá-lo, e lembro que ele ficou tempo demais pondo a mesa, fez perguntas demais, sem parecer se dar conta dos erros que cometia. Lembro que ele nos contou que se formou em Princeton e como, quando alguém mencionou que Noah era cineasta, enumerou todas as pessoas famosas que conhecia — dramaturgos, ativistas, atores. Também me lembro que Stephen anotou seu telefone num guardanapo e o enfiou na minha mão quando entrei na cozinha para pegar um copo d'água; que segurou minha mão por um segundo a mais do que o aceitável ao me contar que já trabalhara em muitos lançamentos de livros, e que eu devia ligar para ele um dia desses. E, embora Stephen tenha sido um desastre o jantar todo, quando nessa noite encosto a cabeça no travesseiro, sei que vou ligar.

Mais de um ano depois, quando Stephen está arrumando uma pequena mesa com copos e gelo na nossa sala de televisão — algo que já fez para nós pelo menos uma meia dúzia de vezes —, percebo uma longa queimadura na lateral de seu polegar. Pergunto-lhe o que aconteceu e ele para de fazer o que está fazendo, olha para mim como se estivesse esperando aquela pergunta há muito tempo e diz: "Melhor você nem ficar sabendo". Mas eu sei. Viciados têm antenas que às vezes detectam a frequência irmã de outros viciados e naquele momento eu capto a de Stephen. Na verdade, provavelmente eu venho sendo atraído por ela desde o segundo em que fomos apresentados. Mas só agora — quando sei exatamente como ele se queimou — eu entendo por que o contratei, por que ele está no nosso apartamento trabalhando em mais uma festa, embora já tenha nos deixado na mão em dois eventos com uma desculpa complicada envolvendo doença ou problemas na família. Por isso eu digo: "Talvez você precise tomar mais cuidado com o que fuma" e, quando ele sorri e pergunta "E você, toma cuidado?", eu sei que isso vai levar a alguma coisa. O jogo começou. Mais tarde, vou ficar espantado ao me lembrar do que respondi: "Não tomo tanto cuidado quanto nós dois deveríamos tomar". E em seguida: "Vamos combinar alguma coisa um dia desses".

Dou uma festa no apartamento quando Noah sai da cidade. É uma quinta-feira à noite e já organizei tudo para que eu não precise ir trabalhar no dia seguinte. Durante toda a festa finjo cansaço — bocejo, me espreguiço, esfrego os olhos —, torcendo para que isso encoraje as pessoas a irem para casa mais cedo. Imagino a primeira tragada e o desabrochar da tranquilidade encantadora que ela trará e, de maneira silenciosa e invisível, odeio todos à minha volta simplesmente por estarem ali. Circulo pelo apartamento com minha água com gás — o que eu sempre bebo quando estou organizando qualquer evento maior do que um jantar — e, enquanto converso, sorrio e abraço quem me dá os parabéns e quem está indo embora, fico pensando na lista de coisas que ainda tenho que fazer. Ligar para Noah, para dar a entender que a noite acabou e que estou indo dormir. Ir até o caixa eletrônico tirar trezentos dólares — talvez quatrocentos — para dar a Stephen ir aonde quer que ele precise ir para pegar o crack e os cachimbos. Também vou precisar de pelo menos mais trezentos para pagá-lo pelo trabalho que ele fez na festa, já que Stephen só aceita dinheiro vivo. Decido lhe dizer que não se preocupe em limpar tudo, eu mesmo vou fazer isso para que ele possa ir logo.

Stephen sai do apartamento por volta das onze e retorna depois da uma da manhã. Eu acabei de colocar as garrafas de bebida alcoólica dentro do bar, lavar os copos e guardar os refrigerantes e os guardanapos. (Stephen vai incluir essas duas horas em sua conta.) Essa noite é importante. Não por ser a primeira vez que eu transo com ele. Não porque gasto mais setecentos dólares que mal tenho para gastar. Mas porque, em dado momento, lá pelas quatro da manhã, quando já fumamos quase tudo que há no saquinho, Stephen liga para seu amigo Mark, que, em poucos minutos, bate na minha porta trazendo mais.

Mark é um assessor de imprensa especializado em restaurantes. Alto, bem-vestido, angular. Logo percebo a maneira como ele vibra. Como se uma corrente elétrica percorresse seu corpo numa voltagem baixa mas permanente. Também percebo como fala com Stephen. Ele manda em Stephen como Fagin manda no Raposa Esperta e, embora esteja claramente se esforçando para se comportar, vejo que a dinâmica dos dois envolve uma mistura de brutalidade e carinho. Quando Mark examina nossos cachimbos e reclama que eles estão queimados e oleosos, Stephen o rodeia como uma enfermeira nervosa assistindo um cirurgião. Mark olha para Stephen como quem diz "Você me decepcionou" e balança a cabeça. Stephen não conta a Mark que os cachimbos estão queimados por culpa minha. Que eu, como sempre, deixei todos os cachimbos enegrecidos por causa de tragadas longas demais e chamas altas demais. Todo mundo que fuma comigo reclama disso. Embora cada vez que eu fume, eu tente inalar da forma mais lenta possível, sempre acho que não estou puxando com força suficiente, que a chama está baixa demais, que eu não estou colocando bastante fumaça para dentro.

Em algum momento após a chegada de Mark, Stephen para de falar diretamente comigo. Parece haver uma nova regra na qual Mark é o único que pode se dirigir a mim e, quando ele o faz, é incrivelmente educado e exageradamente elogioso (em relação ao apartamento, à minha aparência). Sinto que estou prestes a cair numa armadilha e, em vez de me sentir hesitante ou nervoso, fico excitado.

A noite se arrasta até mais ou menos as dez da manhã seguinte. Stephen e Mark saem cambaleando pelo dia afora, e quando a noite de sábado chega eu já os convidei para virem de novo ao apartamento. Na manhã da segunda-feira, minha conta bancária está vazia e Mark já sugeriu que eu e ele nos encontremos sozinhos naquela semana. Noah liga umas dez vezes e eu deixo o telefone fixo tocar, desligo o celular, e não retorno. Na tarde de segunda, meu assistente entra no meu escritório e diz que Noah está ao telefone, que ele está chateado e exige falar comigo. Eu fecho a porta e Noah chora do outro lado do aparelho e me pede que pare com aquilo, por favor. Será que não dá para eu simplesmente parar, por favor? Eu me sinto péssimo, digo a ele que claro que sim, que lamento muito e que não vai acontecer de novo. Noah exige saber detalhes e eu me irrito. Surpreendentemente, ele me pede desculpas. Jogo fora o telefone de Stephen e o cartão de Mark. Mas os dois me ligam nas semanas e meses seguintes e, em dado momento, não me lembro bem quando nem de quem, eu anoto um número. E em outro momento, algum tempo depois, ligo para ele.

Primeira porta

Chegou o momento. Há horas ele está precisando fazer xixi, mas isso é sempre a última coisa que ele quer fazer. O problema — é assim que seus pais chamam —, *o problema* é que, se ele for para o banheiro, não vai conseguir de fato ir ao banheiro. A maneira como ele explica a situação a si mesmo na época é que ainda não "tem o suficiente". Não tem pressão suficiente. Ele espera um pouco. Espera até depois do jantar, quando ninguém vai perceber se ele sumir por bastante tempo. Às vezes, chega a demorar uma hora. Às vezes, não consegue de jeito nenhum. E, às vezes, só leva alguns minutos. Ele só sabe quando chega lá.

O jantar já acabou e ele está parado diante da privada verde-abacate. É possível ouvir ruídos do outro lado da porta fechada — um balde de gelo caindo no chão, palavrões, vidro quebrando, mais palavrões, um telefone tocando. A casa incha de ansiedade. De algum lugar dentro desses sons, uma voz que sempre o fará lembrar de sinos de vento diz: "Billy, está tudo bem com você?".

"Billy...", sua mãe chama seu nome de novo, mas a voz dela desaparece.

Nada por alguns instantes. Só a privada verde. "Ande logo", pensa ele. "Ande logo." Suas mãos esfregam furiosamente a ponta de seu pênis. Uma batida forte na porta. Depois, mais duas. Uma voz diferente. A voz de seu pai. "Pelo amor de Deus, Willie, não vá demorar um ano aí dentro."

Uma calça infantil de veludo — quase sempre azul-marinho, às vezes verde — está embolada a seus pés. É uma calça da loja Fruit of the Loom, dobrada logo abaixo dos joelhos. Ele está lá dentro há mais de meia hora. Chegou perto pelo menos três vezes, mas não conseguiu. Não aconteceu. Ele sabe que vai arder — como caquinhos de vidro tentando sair —, mas quer acabar logo com aquilo. Muda o peso de um pé para o outro na frente da privada — esquerda, direita, esquerda, direita — e aperta a ponta do pênis. Esfrega-a com ambas as mãos. A pressão aumenta e há suor em sua testa. Ele tem a terrificante impressão de que, se seus pais descobrirem, vai haver problemas. Seu pai já disse que ele não pode mais demorar tanto no banheiro. Quando pergunta ao filho por que ele fica pulando de lá para cá e torna aquilo tudo tão complicado, o menino não sabe o que responder. "Pare com isso", diz seu pai, e ele gostaria de poder obedecer.

Ele abre a torneira da pia para abafar o som. Os pulos se transformam em dança, os esfregões se transformam em beliscões febris. De um cômodo distante, o menino ouve sua irmã mais velha, Kim, chorando. Seu pai grita o nome dela. Uma porta bate. Sua mãe grita também. Uma chaleira com água fervendo apita na cozinha. Nenhum desses sons tem a ver com ele. Mas alguém — ele não sabe quem — está batendo na porta. Só batendo, sem dizer nada. O menino agora é um animal em pânico — puxando, pulando e se beliscando diante do vaso. Ele se prepara para mais uma batida na porta. Mais gritos vindos do fim do corredor. O som de algo se quebrando. Suas mãos, suas pernas, seu corpo todo convulsiona em torno da pressão em sua bexiga. Ele tem certeza de que seus pais podem ouvi-lo, está convencido de que a qualquer momento vão arrombar a porta trancada. Tenta parar de pular, mas não consegue. Para ele, é como se a casa inteira — seus pais, sua irmã, os gatos, a chaleira que apita — estivesse reunida do outro lado da porta.

Em dado momento — naquele segundo que ele anseia mas que não consegue forçar — nada disso importará. Naquele momento, não ouvirá as batidas, os socos, os gritos. Quando a pressão ardente atinge seu ponto máximo e seu corpo alça voo, o menino não ouve nada. Naquele instante iluminado em que ele perde todo o controle e tudo desaparece num clarão de dor e alívio, ele molha a parede, o chão, o aquecedor e a si próprio.

O menino não vê a bagunça até a breve perda de consciência passar e ele conseguir se firmar e direcionar o xixi para dentro do vaso. Mira na parte de trás para evitar o barulho da água, e o xixi não acaba nunca. Ele vê que vai ter de limpar bastante coisa, e já está nervoso, sem saber o que vai dizer quando estiver do outro lado da porta. Quando finalmente acaba de fazer xixi, começa a arrancar metros e metros de papel higiênico do rolo, uma montanha que se ergue a seus pés, e começa a absorver a poça de urina no azulejo. O menino limpa o vaso e as paredes atrás dele e ao redor. Fica de gatinhas e começa a enxugar o chão, fazendo arcos amplos. Esfrega o papel na calça até ele virar farelo em suas mãos. Deixa papel demais no vaso, que entope, fazendo a água subir. O menino sabe que precisa enfiar a mão na privada e tirar o papel de lá para evitar mais bagunça. Mergulha o braço lá dentro, arranca freneticamente o papel e, como em resposta a uma prece, o vaso fica vazio. No momento em que isso acontece, as batidas recomeçam, e agora ambos os pais estão diante da porta. As calças e a cueca continuam amontoadas em torno de seus calcanhares. Ele ainda não as vestiu porque sabe que gotinhas de sangue surgiram na ponta de seu pênis e que vai ser necessário limpá-lo um pouco com papel e esperar alguns minutos até estar tudo bem. Muitas vezes ele faz essa parte rápido demais e depois tem que jogar fora a cueca, pois as manchinhas de sangue secam no tecido branco. O menino já tentou enfiar papel higiênico lá dentro, mas em geral ele escorrega para o lado, e não dá certo. Às vezes ele esquece, joga a cueca na roupa suja e depois a vê dias depois na gaveta de sua cômoda, seca, dobrada e manchada. Sua mãe nunca comenta nada sobre as cuecas com ele, nem sobre o xixi — sobre nada. Tem sido assim desde que ele se lembra. Não tem lembrança de estar um dia na frente da privada e conseguir fazer xixi na hora que quer.

"O que você está fazendo?!", grita alguém do outro lado da porta. Seu pai de novo. O menino diz que já vai, só um minuto, e abre a torneira para abafar o som da limpeza que está fazendo. Ele murmura para si mesmo "Por favor, Senhor, por favor" — na verdade, está murmurando isso desde que trancou a porta do banheiro há mais de quarenta e cinco minutos. Jamais será mais específico em suas súplicas. A calça e a camisa estão encharcadas de água e urina. Ele se enxuga mais uma vez com um monte de papel higiênico e coloca-o na lixeira debaixo de uma caixa de lenços vazia e de um rolo usado. Seca tudo de novo, só mais uma vez — o aquecedor, o vaso, o assento, o chão. Volta a olhar em torno, para ver se há algum sinal do que acabou de acontecer. Limpa o suor da testa com a mão e ajeita cuidadosamente o cabelo. Inspira, murmura mais uma súplica a Deus, apaga a luz e torce para que a luz do corredor também esteja apagada, pois assim suas roupas molhadas não ficarão em evidência.

Acalma sua respiração, toca na maçaneta, se prepara para o que há do outro lado. O menino tem cinco anos.

Voo

Está nevando do lado de fora do túnel Holland. Os carros não saem do lugar. As buzinas ecoam e os motoristas gritam. Meu voo para Berlim sai em menos de uma hora e eu não vou conseguir embarcar de jeito nenhum. Noah já está lá. Há dois dias foi direto de Sundance para o Festival de Berlim, a fim de mostrar seu filme. Ligo para o meu assistente, que agendou para as quatro horas um táxi para me levar até meu voo das cinco e meia, e isso, acabo de me dar conta, não é tempo suficiente, ainda mais com a neve. É claro que não é culpa dele, mas eu digo que é e que minha vida está prestes a mudar, e para pior, por causa daquilo. Desligo. Essas serão as últimas palavras que direi ao meu assistente e a qualquer outra pessoa da minha agência.

Tenho um saquinho quase cheio — três pedras de tamanho médio e um punhado de migalhas — no bolso. Em algum lugar da minha sacola de mão L. L. Bean, estão um cachimbo limpo e um isqueiro, embrulhados num pano de prato e enfiados em algum lugar entre manuscritos, uma calça jeans, um suéter e uma pilha de produtos da Kiehl's. A motorista é uma jovem do Leste Europeu com voz rouca, e já cantei para ela a minha canção se-você-apenas-soubesse-como-é-importante-que-eu-chegue-lá-a-tempo, a fim de persuadi-la a recorrer a algum tipo de mágica que nos faça levitar sobre o trânsito. Ela apenas me olha pelo retrovisor. Fico imaginando se ela está percebendo o quanto eu estou drogado, o quanto saí da linha.

Sei que essa vai ser a última gota. Mesmo que Noah me perdoe de novo, apesar de saber que voltei a fumar desde que o abandonei em Sundance, Kate não vai me perdoar. Estou sumido há quase duas semanas e já cancelei três reuniões com ela para discutirmos nosso contrato de parceria e nossas finanças, coisa que já venho evitando há muito tempo. Falei para todo mundo — amigos, clientes, funcionários — que dei um mau jeito nas costas e que estou consultando médicos, acupunturistas e massagistas. Mas a verdade é que, desde que voltei de Sundance cinco dias antes do combinado, venho perambulando pelo meu apartamento envolto em uma grossa nuvem de fumaça de crack. Só saí algumas vezes para ir ao caixa eletrônico na rua 8 e ao mercado que fica ao lado para comprar isqueiros e Bombril. A loja de bebidas vem fazendo entregas diárias de vodca Ketel One, e eu liguei para nossa empregada para dizer que estou doente e que ela não precisa aparecer.

Em algum momento antes de entrar no táxi, mando um e-mail para Kate dizendo-lhe que faça o que for preciso, pois eu tive uma recaída e ela deve se proteger usando quaisquer meios necessários. Antes de clicar em Enviar, eu olho pela janela, vejo os grandes flocos de neve descendo em câmera lenta por entre os prédios e penso que estou fazendo um favor a ela. Dando-lhe permissão para cair fora e seguir em frente. Mas eu mesmo não sinto quase nada quando encerro nossa sociedade, nossa agência, minha carreira. Encaro esse nada da mesma forma como quando a gente observa um dedo logo após cortá-lo sem querer com a faca, segundos antes de o sangue brotar. Por um instante, é como estar olhando para o dedo de outra pessoa, como se o corte que você fez não houvesse aberto sua carne, como se o sangue prestes a jorrar não fosse o seu.

Finalmente chego ao aeroporto e furo a fila, correndo até o balcão da primeira classe. Na hora a funcionária me diz que eu perdi o voo. Pergunto se posso pegar outro e ela responde que dali a três horas sai um voo com escala em Amsterdã. Sem hesitar, compro uma passagem de primeira classe, tarifa integral. Naquele momento tenho mais de setenta mil dólares na minha conta e penso, ou mal chego a pensar, que cinco mil e pouco não é nada. Pergunto à funcionária se há algum hotel no aeroporto, dizendo que quero me deitar e descansar um pouco antes do voo. Ela me olha e hesita um segundo antes de me dizer que há um Marriott há poucos minutos dali. Agradeço, despacho minha mala para que ela vá no voo das sete e pego minha passagem. No táxi, ligo para Noah e deixo um recado explicando que perdi o avião — "O trânsito estava horrível", eu digo, fingindo estar frustrado —, mas que já comprei passagem para o próximo voo.

O motorista do táxi é um hispânico bonito de olhos negros, e eu imediatamente puxo conversa com ele. Não sei bem como cheguei a isto, mas em determinado momento pergunto se ele usa alguma coisa para se divertir. O taxista diz que sim, eu pergunto o quê e ele responde cerveja e maconha. Ele quer saber o que eu uso e eu digo de cara. Depois de uma pausa, ele me pergunta se eu tenho um pouco. Eu digo que sim. O taxista pede para ver e, sem hesitar, enfio a mão no bolso, pego uma pedra e mostro-a entre o vão dos dois bancos da frente. Ele diminui a velocidade do táxi, observa o crack com ar muito sério, mas não diz nada. Quando eu guardo a pedra, o taxista ri e me conta que nunca tinha visto uma. Pergunto se ele quer ficar um pouco comigo. Ele diz que tudo bem, mais tarde, depois do turno dele, e me dá o número do seu celular. Eu anoto, embora saiba que meu voo vai ter decolado quando o turno do cara acabar. Ele não diz seu nome, por isso eu olho para a sua carteira de motorista que está numa moldura de acrílico nas costas do banco do passageiro, mas ela está coberta por um pedaço de jornal. Pergunto o nome dele, que murmura algo inaudível. Pergunto de novo e ele diz algo que eu acho ser Rick.

O comportamento dele muda quando estacionamos na frente do Marriott. Ele fica subitamente frio, e mais tarde vou me lembrar que ele mal me pediu o dinheiro da corrida, que quando eu o entreguei meu gesto pareceu irrelevante. Mas nem percebo isso naquele momento, pois só consigo pensar na sorte que foi ter perdido o voo, pois agora tenho algumas horas para fumar.

Chego ao meu quarto e fecho a porta atrás de mim como quem desce a cortina de um imenso e apavorante palco onde estive interpretando um papel dificílimo, cuja pele posso finalmente abandonar. Tiro o casaco e coloco um monte de crack no cachimbo. Migalhas se espalham pela cama quando aproximo o cachimbo da chama, mas não me importo. Dou uma enorme tragada e seguro a fumaça o maior tempo possível. Quando exalo, o estresse das últimas horas evapora e em seu lugar nasce e se expande uma alegria cintilante.

Logo fico consciente do meu corpo e me sinto inquieto em minhas roupas. Tiro o casaco e o suéter entre a primeira e a segunda tragada. Eles parecem parte do figurino sufocante usado na atuação do outro lado da porta, desnecessários agora. Na terceira tragada fico nu, embora pegue uma toalha no banheiro e a amarre bem baixo em volta do quadril. Sempre faço isso quando fumo. Costumo achar meu peito musculoso, magro, sensual. Muitas vezes me encaro no espelho e penso "Nada mau". Lembro de alguma versão da frase do romance de Ben Neihart *Hey, Joe*, quando o narrador se observa no espelho e pensa todo orgulhoso que "continua com tudo em cima". Nessas horas, para ser bem sincero, eu me excito comigo mesmo.

Eu abaixo ainda mais a toalha no quadril, amarro-a mais apertado e começo a desejar muito alguma companhia. Ligo para o taxista, mas ninguém atende e não cai na caixa postal. Faço isso umas trinta vezes em uma hora. Ponho o que resta do saquinho num cinzeiro e fico animadíssimo ao ver o que imagino ser uma quantidade infindável de crack. Sou descuidado ao encher o cachimbo. A cama e o chão logo ficam repletos de migalhas. Sei que daqui a algum tempo vou estar de joelhos atrás delas, tentando distinguir o que é migalha e o que é lixo. Todas as vezes que fumo crack, acabo de joelhos, às vezes durante horas — debruçado sobre carpetes, tapetes, linóleo, azulejos — catando loucamente fiapos, areia para gato e poeira, passando os dedos no chão como um insano atrás das migalhas. Sei que é lá que eu vou terminar. No começo, quando vou enchendo displicentemente o cachimbo e derrubando as migalhas, sempre penso no chão como uma espécie de aposentadoria. São pedacinhos esquecidos num lugar onde poderei encontrá-los depois. Me acalma saber que terei um refúgio quando o saquinho acabar, algo para fazer enquanto espero a próxima entrega. Mas no começo, no abundante começo, essa hora sempre me parece muito longe de chegar.

No quarto do hotel Marriott do Aeroporto de Newark, como na maioria dos quartos onde alguém está fumando crack, a televisão está ligada num canal pornô. Dessa vez é pornô heterossexual e *soft*, que pode ser visto no pay-per-view. Pago pelos seis filmes disponíveis e vou mudando de canal quando uma cena fica chata ou decepcionante. Já bebi a garrafinha de vinho branco, as duas cervejas e as duas garrafinhas de vodca do frigobar, quando me dou conta de que preciso voltar ao aeroporto para pegar o avião. Como ainda há uma boa quantidade de droga no cinzeiro, me pergunto se devo ir mesmo.

Mas vou. Espero meu cachimbo esfriar e o embrulho num monte de lenços de papel. Pego as duas pedras e as migalhas que restam no cinzeiro e ponho-as de volta no saquinho plástico. Tiro a toalha, visto desajeitadamente as roupas e enfio o cachimbo, o saquinho e o isqueiro no bolso da frente da calça jeans. Examino o quarto umas dez vezes. Limpo cada superfície e recolho todas as migalhas que encontro no chão. Tiro o saquinho, o cachimbo e o isqueiro do bolso pelo menos três vezes para dar só-mais-uma-tragada antes de ir embora, para entrar na onda perfeita que me permitirá encarar o saguão do hotel e o aeroporto. Me sobra menos de uma hora para fazer o check-in e entrar no avião. Noah ligou três ou quatro vezes, mas não atendi nem ouvi seus recados.

Não me dou ao trabalho de fazer o check-out no hotel. Vou direto ao ponto de táxi e entro no único carro parado ali. O taxista é um cara negro bem grande — gordo mas musculoso, tipo jogador de futebol americano. Quarenta, talvez cinquenta anos. O cachimbo, ainda quente de tanto ser usado no quarto até minutos antes, queima no bolso da minha calça como um pequeno forno aceso. Claro que pergunto ao cara se ele usa alguma coisa. Ele diz que sim e eu pergunto se ele já fumou pedra. Claro, responde o cara, e ali mesmo, menos de um minuto depois de eu ter entrado no táxi, já sei que não vou pegar o avião. Que provavelmente jamais irei a Berlim.

"Então vamos nessa", eu digo ao jogador de futebol americano ao volante, e ele responde "Claro". Quando estamos nos aproximando da área de embarque da Continental, mando ele voltar para o hotel e digo que vou pegar outro avião mais tarde. Ele não questiona nem hesita, só se afasta do terminal e diz, de novo, "Claro". Ligo para o Atendimento ao Consumidor da Continental e explico que estou doente, que não vou poder embarcar, e pergunto se eles podem transferir a passagem para a noite seguinte. Por incrível que pareça, eles dizem que podem, e fazem isso. Consigo uma passagem de primeira classe para um voo às oito da noite seguinte. Horas e horas pela frente, um saquinho de crack, alguém para me fazer companhia e um quarto de hotel a apenas um minuto de distância. Acabei de perder dois voos, mandei um e-mail para Kate abrindo mão de qualquer poder de decisão sobre a agência, joguei minha carreira no lixo e dei um bolo no meu namorado, que ainda por cima deve estar histérico. Fiz tudo isso, e não podia estar mais feliz.

Deixo um recado na caixa postal de Noah dizendo que eles cancelaram o segundo voo e que vou para Berlim no dia seguinte. Falo lenta e calmamente, só com alguma irritação na voz, para parecer normal e nem um pouco drogado. Assim que deixo o recado, desligo o celular para não ouvi-lo tocar quando ele ligar de volta.

Encontro com o taxista mais tarde e ficamos sentados no táxi dele, parados no estacionamento de uma 7-Eleven em Newark. Ele teme ser visto no hotel, porque pega e leva passageiros para lá todos os dias. Preparo uma tragada para ele — pequena, pois falta pouco para acabar — e, quando ele vai acender, comento que morro de tesão quando fumo. Ele assente, concordando, enquanto exala, e logo abrimos nossos zíperes — primeiro eu, depois ele. Dou uma tragada e ele segura o próprio pênis e fala de sua mulher, sobre como ela faz sexo oral nele mas nunca quer transar. Eu inalo tanto que queimo meu indicador e meu polegar. Devia estar cruzando o Atlântico agora, penso, mas em vez disso estou no estacionamento de uma 7-Eleven, à sombra de um viaduto da cidade de Newark, em Nova Jersey. O que eu quero é a amnésia que o sexo selvagem traz, mas em vez disso ganho uma punhetinha das mais melancólicas, sem ter crack suficiente que nos deixe malucos. Quando o saquinho acaba, começo a ficar trêmulo e me dou conta de que não durmo há quase uma semana. São dez e meia da noite e meu voo é só às oito da noite seguinte. Pergunto ao taxista se ele sabe onde arrumar mais crack, mas é claro que ele não sabe. Escondo uma última pedra no bolsinho menor da frente do meu jeans, para ter alguma coisa quando chegar ao quarto de hotel. Começo a pensar em voltar para Nova York, em ir até o apartamento de Mark ou a um hotel em Manhattan, de onde vou poder ligar para Happy. Mas a cidade parece estar a anos-luz de distância. E, se eu for para lá, sei que nunca mais vou voltar, que não terei a menor chance de conseguir embarcar num voo para Berlim.

O táxi me deixa no Marriott e eu ligo para Happy assim que chego ao quarto. Após muita negociação, ele concorda em ir até o hotel, mas só se eu gastar pelo menos oitocentos dólares para fazer a viagem dele valer a pena. Eu digo que não tem problema.

É pouco depois de onze da noite quando falo com Happy. Às 23h50 ele me liga do estacionamento e diz que chegou. Não me lembro de ele jamais ter feito uma entrega tão rápida em Manhattan. Saio do quarto, entro no elevador para tirar dinheiro do caixa eletrônico no saguão vazio e, andando da forma mais lenta e calma possível, passo pela recepção e chego ao estacionamento, onde está a minivan de Happy. Meu coração palpita e minha garganta está tão travada de medo que mal consigo falar quando me sento no banco do passageiro. Happy, como sempre, veste uma calça de moletom branca e um casaco preto e simples com capuz. A única coisa que falta são os fones de ouvido que ele em geral traz em volta do pescoço. Happy é da República Dominicana, tem trinta e poucos anos e em geral só conversamos sobre quanto eu quero comprar, onde estou e quantos cachimbos vou querer. Ele está sempre calmo e, embora hoje tenha vindo dirigindo de Manhattan por uma boa distância até um hotel de aeroporto, continua agindo do mesmo modo. Seus movimentos são lentos e pacientes enquanto ele conta os dezesseis saquinhos, e ele não me faz nenhuma pergunta ao me entregar dois cachimbos limpos. Enfio tudo nos dois bolsos da frente, agradeço a Happy por ter vindo tão rápido e volto para o hotel.

Se alguém tivesse parado para me observar indo ao caixa eletrônico tirar pilhas de notas em diversos saques por causa do limite de duzentos dólares por transação, depois entrar numa minivan com vidros pretos e voltar minutos depois com os bolsos cheios de alguma coisa, não seria preciso muita imaginação para concluir o que acabara de ocorrer. Sei que toda a operação foi malfeita e óbvia, mas também sei que, assim que voltar para o meu quarto e der uma enorme tragada num daqueles cachimbos novos em folha, tudo vai ficar bem. Que todas as verdades sombrias e preocupantes que estão rugindo bem alto ao meu redor vão desaparecer numa cortina de fumaça.

E é isso que acontece. É uma da manhã e eu tenho uma pilha espetacular de crack no pequeno cinzeiro sobre a mesa de cabeceira. É a maior quantidade que já comprei sozinho, e sei que vou fumar cada pedrinha. Eu me pergunto se naquela pilha está a migalha que vai causar um enfarte, um derrame ou uma convulsão. O evento cardíaco que levará tudo isso a um abrupto e bem-vindo fim. Meu coração está aos pulos, meus dedos estão queimados e encho meus pulmões de fumaça.

Fazendo a casa cair

Ele tem seis anos. Diminuindo o valor da casa. É o que estão lhe dizendo. Fazendo o valor despencar por causa dos aquecedores molhados de mijo no banheiro, cobertos de ferrugem e fedor. Tornando-a mais difícil de vender por desbotar o papel de parede perto da privada cada vez que ele o molha e tenta limpá-lo.

Eles estão no Volkswagen verde, e não é a primeira vez que seu pai lhe diz essas coisas. O fato de que o xixi dele está custando milhares de dólares à família existe desde tempos imemoriais. Ele fica em silêncio, como sempre faz quando seu *problema* é discutido. Seu pai fala em frases curtas, abruptas e raivosas que, em geral, terminam com "Vamos lá, Willie. Controle-se" ou "Pelo amor de Deus, moleque, dê um jeito nisso". E depois seguem-se longos períodos de silêncio. Os únicos sons do carro são os murmúrios da estação 1010 WINS no rádio e a batida do cachimbo de seu pai contra os dentes.

Eles estão numa estrada a caminho de Boston. Andam a uma velocidade alarmante, até que o trânsito congela e os palavrões e socos no volante começam. Quando seu pai abaixa o volume do rádio e ajusta o aquecedor, ele o imagina diante do grande painel de luzes e geringonças na cabine dos aviões que pilota. Aqueles aviões cheios de passageiros que confiam em seu pai e permitem que ele os leve através do oceano, rumo a Londres e Paris. Há momentos — como este — em que ele não consegue imaginar nada que seu pai não possa fazer.

O trânsito piora e seu pai rosna para os carros à frente. O menino fica quieto. Sente-se aliviado, pois a atenção não está mais nele ou no motivo de ele e o pai estarem naquele carro hoje. Eles foram consultar um médico — o que o Boston Red Sox usa, disse seu pai — para descobrir o que exatamente há de errado com ele.

O que exatamente ocorreu no consultório daquele médico, ele vai esquecer. Talvez tenha se lembrado no carro, tenha pensado nisso durante a volta para casa, ou quem sabe até já houvesse lhe fugido à mente. De qualquer maneira, vai passar anos tentando se lembrar, mas a única parte que lhe vem à memória é estar no carro durante a volta. O menino se lembrará das velhas frases sobre destruir a casa e do ar estranho, quase sexual, daquele dia — com tanta conversa sobre pênis e xixi. Há algo de clandestino e vergonhoso naquela viagem, que começara com sua mãe, abatida, anunciando durante o café da manhã que ele e seu pai iriam a Boston consultar um médico. Ele se lembrará de como ela estava preocupada e de como estava distante. Lembrará de haver desejado que o carro saísse em alta velocidade da estrada e explodisse em chamas. Continuará a ter desejos como aquele por anos a fio — em ônibus escolares, aviões, vans, trens. E também terá uma lembrança — esta muito vívida — de uma previsão que seu pai fez. Ele diz que logo os amigos do menino — Timothy, Derek, Jennifer — e os pais deles não vão mais permitir que ele vá até a casa deles brincar ou passar a noite. Que seria só uma questão de tempo eles se darem conta e que, uma vez que isso acontecesse, não iam mais querer aquele porcalhão, aquele monstro, na casa deles.

Esta última parte não vai sair da sua cabeça. Ela crescerá e se tornará uma crença de que os adultos já sabem, de que estão reclamando com os pais dele e avisando os filhos, os amigos dele. Até que eles se mudem anos depois para uma cidade menor, mais ao norte e mais escondida em meio às árvores, ele temerá que, secretamente, seus amigos, as famílias deles e até seus professores saibam do seu problema e que um dia o confrontem com grande estardalhaço. Ele fica imaginando esse dia e às vezes acha que os ouve sussurrar a palavra "monstro".

Eles seguem em frente. Seu pai insiste em falar da desvalorização da casa e de ameaças de exílio. O rádio murmura baixinho na estação que, anos mais tarde, ainda representará para ele um dos sons mais melancólicos e desoladores do mundo, a estação sintonizada em todos os carros que seu pai vai dirigir na vida. Quando eles saem da estrada e começam a se embrenhar nas ruazinhas tortuosas de Connecticut, a caminho de casa, há apenas o silêncio e uma batida ou outra do cachimbo contra os dentes do pai. O mundo lá fora parece saber de tudo: a consulta com o médico e os avisos dados depois parecem ser parte de um plano coletivo que demorou um longo tempo para ser arquitetado. "Não há nada de fisicamente errado com você!", grita seu pai por fim, sem dúvida exausto por causa daquele dia. "É só questão de força de vontade. De escolha. Só Deus sabe os estragos permanentes que você está causando aí embaixo. As coisas que não vai conseguir fazer mais tarde."

Esta última parte deve ter sido dita quando eles estavam se aproximando de casa, ou ainda dentro do carro estacionado em frente à garagem, porque o menino se lembra de ouvir a palavra "estragos" ao olhar para a casa cor de carvão, sabendo que um novo aquecedor e um novo papel de parede não eram nada comparados ao que seria necessário para consertar ele próprio.

Teatro complicado

Há um bar no Marriott do aeroporto de Newark. Já é quase meia-noite, eu ligo para a recepção e me dizem que ele fecha à uma da manhã. Tomo banho, faço a barba e me arrumo o melhor possível antes de descer para um drinque e tentar encontrar companhia. Coloco um novo par de lentes de contato, pois quando fumo crack, não importa quanta água eu beba ou quanto colírio ponha nos olhos, as lentes ressecam e pulam para fora. Pus quatro caixinhas de lentes na mala para essa viagem, e desde que cheguei ao hotel já troquei uma vez a do olho esquerdo e duas vezes a do olho direito. Sei que vou precisar ser mais cuidadoso, mas a esta altura pareço ter uma quantidade suficiente delas e de tudo mais — crack, dinheiro na conta, tempo — para durar bastante. Visto meu suéter de gola rulê azul-marinho porque ele é grosso, de lã trançada, e esconde meu corpo franzino; além disso, é caro, e acho que encobre meu verdadeiro eu de viciado. Visto a calça jeans e, embora esteja fechando o cinto no último furo, ainda preciso enfiar a parte da frente do suéter dentro dela para impedi-la de cair. Vou ter de encontrar um sapateiro em Berlim para me fazer mais um furo.

* * *

Depois de me vestir, cumpro vagarosamente o ritual de fumar um pouco, beber um copo de vodca, ir ao espelho para ter certeza de que minha aparência está boa, bagunçar meu cabelo até desistir dele e colocar o boné do Departamento de Parques e Jardins. Começo a ficar com calor, com tesão e a me sentir desconfortável dentro das roupas, por isso tiro o suéter, deito na cama, coloco um filme pornô na televisão e me masturbo um pouco. Chafurdo naquele breve instante de prazer atordoado por alguns minutos e, conforme ele vai desaparecendo, me sirvo de mais um copo de vodca para cortar a onda frenética e deixá-la um pouco mais doce. Penso: "Só mais uma tragada, uma bem grande dessa vez, para me dar coragem". Então, dou mais uma. Coloco o suéter de novo, me arrumo na frente do espelho, derramo algumas gotas de colírio nos olhos, ajeito o cabelo, ponho o boné, me enfio na calça jeans e, quase sem perceber, acabo na cama outra vez, sem o suéter, sentindo a onda bruxulear e aproveitando o curto espaço de tempo antes de eu precisar do cachimbo, de outro drinque e de só mais um pouco de tempo para sair do quarto.

Finalmente consigo descer para o bar e logo fico desapontado, pois o lugar está quase vazio, com apenas alguns casais e colegas de trabalho viajando juntos. Não vejo a pessoa solitária, vulnerável e inquieta que busco — aquele cúmplice mágico que aceitará passar uma longa noite comigo.

Engulo três ou quatro doses de vodca e começo a ficar trêmulo. Mais de vinte minutos sem fumar já é quase o limite, e já estou lá embaixo há pelo menos meia hora. A vodca em geral acalma a tremedeira, alisa as pequenas rugas de horror que surgem quando a onda começa lentamente a acabar, mas ela não está ajudando muito agora. De qualquer modo, tenho a maior pilha de crack que já vi me esperando no quarto, e não há nenhum motivo para parar de fumá-la. Faço um sinal ao garçom da forma mais tranquila possível, deixo duas notas de vinte e uma de dez para pagar a conta de trinta e cinco dólares e me dirijo ao elevador.

A noite é um redemoinho de fumaça e no início da tarde já acabei com nove dos dezesseis saquinhos. Nunca fumei tanto em tão pouco tempo — dois saquinhos divididos com pelo menos uma pessoa costumam ser uma bela noite para mim. Minha pele formiga de calor e estou consciente de cada respiração e de cada batida do coração. Todas as minhas roupas e artigos de banho estão espalhados pelo quarto e eu ainda tenho crack demais para fumar, o que não me dá a menor vontade de sair dali. Ligo para o motorista de táxi da noite anterior e deixo uma dúzia de mensagens. Ele não liga de volta. Levo horas para fazer as malas e arrumar o quarto, com centenas de paradinhas para fumar e beber um pouco no meio do caminho.

Três horas antes do voo, finalmente consigo descer até o saguão. Quando estou fazendo o check-out, noto cinco ou seis homens entre quarenta e sessenta anos perto da porta de entrada. Todos têm uma característica marcante, porém indefinida — estão usando calça cinza, sapato barato, jaqueta de náilon. Estão vestidos da cabeça aos pés com as roupas sem graça da loja JC Penney. Sussurram entre si e me parece — embora eu não veja isso com clareza — que todos estão usando fones de ouvido com fios discretamente enfiados na camisa. Não há mais ninguém no saguão. Apenas um táxi aguarda no ponto. Ouço, ou imagino ter ouvido, um deles dizer "É ele" quando passo pela porta automática e chego à passarela coberta do lado de fora. Ao entrar no táxi, percebo os cinco ou seis homens saindo do hotel e indo na direção de dois ou três carros estacionados por ali. O taxista me olha como se estivesse entendendo tudo e afirma, mais do que pergunta: "Continental". Essa de fato é a companhia aérea do meu voo, mas como ele sabe? Eu pergunto a ele, que responde: "Aqui é Newark, todo mundo voa de Continental". Olho para sua carteira de motorista exposta no compartimento de acrílico e vejo que a foto, assim como a foto do táxi de ontem, está coberta por um pedaço de papelão. Começo a entrar em pânico. O homem liga o motor, se afasta do hotel e, quando eu vejo os carros cheios dos caras da JC Penney nos seguir, sei que estou passando de um mundo para outro. Já consigo me imaginar lembrando daquela corrida de táxi, de como ela significou o fim de uma época em que eu era livre.

Estou prestes a ser preso. Carrego um saquinho cheio de crack e um cachimbo muito usado embrulhado em lenços de papel no bolso da frente do meu jeans. Não vejo como me livrar deles. Atirar pela janela? Não, esses caras, quem quer que eles sejam, estão logo atrás de nós. Jogar no lixo quando o carro parar? Não, pelo mesmo motivo. Enfiar no banco de um carro que provavelmente está sendo dirigido por um policial da Divisão de Controle de Produtos Químicos? Obviamente que não. Engolir? Talvez. Mas o cachimbo de vidro... o que eu faço com o cachimbo de vidro? Essas soluções acendem e apagam na minha mente, uma por uma, diversas vezes, à medida que vamos nos aproximando devagar do terminal. Nenhuma é viável.

Antes de eu sair do quarto do hotel, me pareceu uma boa ideia trazer crack o suficiente para fumar no banheiro do aeroporto logo antes de embarcar no avião. Quando o terminal entra no meu campo de visão, me dou conta, tarde demais, de como essa ideia foi insana. Nos aproximamos do local onde os automóveis que chegam ao aeroporto trazendo passageiros que vão embarcar estacionam, e percebo que um dos carros que nos seguia está logo atrás. Desvio o olhar no momento em que saio do táxi e pago o motorista, que parece indiferente ao valor da corrida.

Quando entro no aeroporto, só consigo pensar em quando vai acontecer. Quando eles vão cutucar meu ombro e me pedir que esvazie os bolsos e abra minhas malas? No balcão de check-in? Na fila dos detectores de metal? No portão de embarque? Não acredito que eu vá conseguir alcançar o portão.

Pilotos uniformizados caminham daquele jeito característico deles em direção a seus voos. Fico imaginando suas famílias alegres nos subúrbios agradáveis mas não tão caros de Connecticut, Nova Jersey e Nova York. Seus filhos, que colecionam pequenas réplicas de aviões e que se destacam por conhecer todos aqueles nomes — Cessna, Piper Club, Mooney, 747. Vejo o uniforme e o quepe de piloto da TWA do meu pai pendurados no mancebo antigo que havia em seu pequeno escritório e lembro de como eu achava meu pai bonito quando era pequeno. Ele parecia um galã de cinema com aquelas calças escuras vincadas e camisetas brancas engomadas. Meu pai. "Como isso foi acontecer?", eu o imagino perguntando quando lhe contarem o que vai ocorrer daqui a pouco. "Como você chegou a esse ponto, Willie?"

Há uma pequena distância entre o balcão e a fila dos detectores de metal. Não tenho ideia do que fazer nem sei para onde ir. Se eles querem me prender, por que já não fizeram isso? Penso em pegar outro táxi e voltar a Nova York, mas começo a duvidar das minhas percepções. Só pode ser culpa do crack, da paranoia. Sou um peixe pequeno demais, raciocino, para merecer um batalhão de caras da JC Penney e uma tocaia preparada num hotel.

Ainda preciso jogar fora o crack e o cachimbo. Encontro um banheiro à esquerda dos detectores de metal e me dirijo imediatamente para lá. Quando entro, vejo que está vazio. Dois boxes e três mictórios. Entro num boxe com a intenção de jogar o saquinho e o cachimbo na privada e dar a descarga, mas quando entro e fecho a porta vejo que no vaso há apenas um filete de água escorrendo sem parar. A descarga está quebrada. Vou para o outro boxe e ali dentro está a mesma coisa. Penso que talvez eles tenham inutilizado as descargas para que eu não possa me livrar das minhas coisas. Sinto-me um animal enjaulado. Ouço alguém entrar no banheiro e rapidamente tiro a calça e sento na privada. Alguns minutos se passam e eu mal me mexo. No começo, tento não fazer barulho, mas então me dou conta de que obviamente o cara pode ver meus pés ali de fora e que eu devo me comportar de maneira normal. Como se estivesse mesmo usando o banheiro. A pessoa não vai embora e começo a imaginar que há uma equipe inteira de policiais federais entrando silenciosamente no banheiro. É quase impossível não olhar pela parte de baixo do boxe para ver se ali fora há mesmo, como eu temo, um mar de botas e sapatos. Mas uma parte minha também quer prolongar o máximo possível a sensação de não saber. À minha esquerda está um rolo de papel higiênico, e eu rasgo algumas folhas devagar e faço gestos de quem está se limpando, numa pantomima audível de alguém indo ao banheiro. Em dado momento, me ocorre que a única coisa que posso fazer é limpar minhas impressões digitais no cachimbo e no saquinho, embrulhá-los em papel higiênico e colocá-los embaixo da caixinha de plástico onde fica o rolo. Penso em pelo menos jogar o crack na privada, deixá-lo dissolver na água e torcer para que os restos acabem desaparecendo; mas alguma coisa dentro de mim me impede de fazer isso, incapaz de suportar ver o crack se transformar em nada. Começo a imaginar a diferença da pena — dez anos de cadeia se for pego com um saquinho cheio de crack? Pena alternativa se estiver só com um cachimbo? Mesmo assim, limpo o cachimbo e o saquinho, embrulho-os cuidadosamente em papel higiênico e enfio-os na caixinha de plástico. Tudo isso fazendo o mínimo barulho possível. Depois, subo a calça, fecho o cinto e abro a porta do boxe como se aquele fosse o último segundo da minha vida que vou passar em liberdade.

Encostado na parede ao lado da porta, está um segurança do aeroporto. Ele me encara quando vou até a pia lavar as mãos. Quando passo pelo sujeito, ele vai da parede para os boxes e nossos braços se roçam de leve. Volto ao terminal e me afasto dos detectores de metal, indo na direção da escada rolante.

Tento me manter calmo à medida que desço até as esteiras de bagagem. Não tenho nenhuma dúvida de que o segurança foi procurar imediatamente minhas coisas na caixinha de plástico do boxe do banheiro. Não olho para trás, mas sinto os olhos de cem policiais nas minhas costas quando passo pelas esteiras e pego outra escada rolante. Caminho a esmo por cerca de vinte minutos antes de voltar para perto dos detectores de metal. Paro ao lado das escadas que vão para o terceiro andar e vejo a enorme fila de turistas, homens de negócios e estudantes esperando para tirar cintos e sapatos antes de passarem pela revista. Vejo um homem de calça cinza, jaqueta de náilon e sapato barato. É um dos sujeitos da JC Penney que estavam no saguão do hotel e que entraram no carro, e agora ele está aqui me encarando a diversos metros de distância. Um pouco depois dele, perto do balcão de check-in, vejo uma mulher mais velha andando devagar, arrastando uma mala de rodinhas e falando num celular. Noto como a mala, o sapato e o casaco dela são insípidos. De alguma maneira, se parecem com os do homem. E então, nos minutos que se seguem, como quem percebe uma caixa-d'água no horizonte de uma cidade e em seguida começa a perceber várias, vejo dezenas de pessoas assim. Zumbis de meia-idade, usando roupas desinteressantes, arrastando malas e segurando celulares, cujos movimentos lentos e deliberados parecem coreografados para responder aos meus.

Vagueio pelo aeroporto pelo que me parecem ser horas antes de entrar na fila dos detectores de metal. De tempos em tempos, me torno ousado com algumas pessoas que penso estar me seguindo, olho em seus olhos e sorrio, às vezes até comentando que aquele deve ser um trabalho muito entediante. Eles nunca fazem nada além de dar sorrisinhos irônicos e revirar os olhos. Em dado momento, quando a tensão está imensa, me imagino pulando da sacada que há ao lado da escada rolante no terceiro andar para evitar a prisão que sei ser iminente. Mas ela não me parece ser alta o suficiente, e acho que só vou conseguir quebrar uma perna, ou as duas.

Mais tarde, exausto depois de passar horas caminhando pelo aeroporto num estado de pânico controlado e sentindo a onda de quase uma semana de crack passar, eu finalmente viro para um daqueles sujeitos, um dos mais jovens, e pergunto: "Por que você não acaba logo com isso?". Ele dá uma risadinha e diz: "Vai ser muito mais divertido depois, quando você estiver em outro lugar. Pode esperar". Tenho certeza que é isso mesmo que ele diz. Fico paralisado ao ouvir essas palavras e decido finalmente entrar na fila, tirar o sapato, o cinto e passar pelo detector de metal. Não é possível que eu vá conseguir chegar ao outro lado, mas estou tão nervoso que quero que aquilo acabe logo.

Mas consigo passar. Consigo passar e, por um breve e incerto momento, me sinto radiante. Talvez seja só coisa da minha cabeça. Talvez seja só o crack, cujos efeitos positivos já desapareceram, deixando o corpo que os continha despedaçado e a mente alucinada.

Chego ao portão, e o embarque do voo já começou. Hesito algumas vezes e vejo, de novo, alguns caras da JC Penney andando pela área próxima ao portão onde ficam as cadeiras. As palavras do jovem Penney ecoam em meus ouvidos, mas estou desesperado por uma vodca, e em algum lugar na minha mala tenho pílulas para dormir. Se eu puder me atirar naquela poltrona enorme e macia da primeira classe e desmaiar, tudo vai dar certo. Se eu conseguir entrar no avião e ir para longe desses brutamontes, vou estar a salvo. Assim, marcho até o portão, mostro meu cartão de embarque e entro.

Minha poltrona fica no corredor, na segunda fileira à direita. Nada jamais me pareceu tão aconchegante. Sento e começo a perceber que o imenso pânico das últimas duas horas e meia está começando a desaparecer. Solto um suspiro, olho pela janela e vejo na pista alguns funcionários colocando a bagagem dentro do avião. Só então me dou conta de que a mala que despachei no dia anterior seguiu num voo no qual não embarquei. Ter apenas uma mala perdida com que me preocupar me parece uma sorte naquele momento, e decido só pensar nisso quando chegar a Berlim.

Acomodo minha sacola debaixo do assento, me recosto e fecho os olhos por alguns minutos. “Finalmente”, penso, “estou salvo.” E então, quando me viro para procurar uma aeromoça, fico sem ar de susto. São eles. Os Penneys. Um, dois, três, quatro, pelo menos cinco deles sentados à minha volta. Naquele exato instante, uma das aeromoças se debruça sobre um deles e fala algo baixinho. Sobre mim, sem dúvida. Sobre a prisão que vai ser feita em Amsterdã ou em Berlim. Ou ali mesmo. Naquele exato momento. De repente, tudo naquele lugar me parece um cuidadoso cenário de teatro, montado para imitar a primeira classe de um avião. Os guardanapos parecem ridiculamente falsos, as aeromoças parecem atrizes e os Penneys, androides — meio humanos, meio robôs, ameaçadores e sem emoções.

Uma das aeromoças surge de repente ao meu lado. Ela pergunta, com uma voz que me parece zombeteira e falsa, se eu gostaria de beber alguma coisa. Os Penneys me dão medo, mas ela me irrita. Chego a ter raiva. Pergunto se aquele avião vai mesmo aterrissar em Amsterdã. Ela parece confusa, mas não tão confusa quanto acho que deveria ter ficado, por isso pergunto: "Você não acha que toda esta encenação é bem complicada de fazer por causa de uma pessoa só?". Ela me olha por alguns segundos, pede licença e se afasta. Depois de um instante, volta com o piloto, que educadamente pede que eu pegue minhas coisas e vá com ele para fora do avião. Eu mal consigo me mexer. E, embora eu saiba que esta é a prisão que venho esperando desde que entrei no táxi em frente ao hotel, fico aliviado quando o piloto põe a mão no meu ombro e diz: "Vamos". Como uma criança que acabou de levar uma bronca, com todo mundo em volta olhando, pego minha sacola e saio do avião.

Mas ninguém me prende. Em vez disso, o piloto me explica que depois do 11 de setembro eles precisam tomar cuidado, e que o que eu disse à aeromoça alarmou-a a ponto de eles não se sentirem confortáveis para me manter no voo. Reparo no paletó dele, uma imitação barata dos uniformes militares com suas dragonas e listras. Como tudo naquele avião, o uniforme dele — vagabundo se comparado à lembrança que tenho do uniforme de meu pai — parece uma fantasia malfeita, improvisada. Ele me pergunta se andei bebendo e eu digo que sim, que fico nervoso quando viajo de avião e que bebi um pouco para acalmar os nervos. Não faço ideia de como consegui elaborar esses pensamentos e essas frases.

Peço desculpas por ter assustado a aeromoça e, quando estou prestes a voltar para a área antes dos detectores de metal, um homem de camisa branca e com uma pasta cheia de papéis se aproxima. Ele diz que é o chefe de operações da Continental no aeroporto de Newark e imediatamente se desculpa pela confusão. Pede que o piloto reconsidere, e fica claro que, por algum motivo, esse cara quer muito que eu embarque naquele voo. O piloto recusa com polidez, e começa a ficar visivelmente irritado quando o chefe de operações insiste. Eu me mantenho em completo silêncio enquanto isso acontece. O chefe de operações finalmente desiste, o piloto me deseja boa sorte e retorna à sua cabine. Eu o vejo desaparecer na passarela que leva ao avião e preciso conter um desejo súbito de chamá-lo. Não faço ideia do que eu pretendia lhe dizer, mas quando ele some sei que gostaria que voltasse.

O chefe de operações pede meu cartão de embarque e continua se desculpando. Eu digo que não há problema, que posso voltar para casa e pegar outro avião amanhã. Ele diz que eu não me preocupe e garante que vai me colocar em outro avião naquela noite mesmo. Ele se afasta, dá alguns telefonemas em seu celular, longe o suficiente para não ser ouvido, e volta para me dizer que conseguiu uma passagem de primeira classe num voo da Air France que vai para Berlim passando por Paris. Está tudo arranjado e o voo sai em quarenta e cinco minutos de um portão ali perto. Chega outra pessoa carregando pastas. Os dois me levam até um balcão da Air France, onde uma passagem me é entregue, e depois até o portão. Estou lá há menos de dez minutos, quando o embarque do voo começa. As coisas aconteceram tão rapidamente que mal consigo acompanhar tudo. Mas tenho uma forte sensação de que alguém — e não só o chefe de operações da Continental — quer que eu pegue um avião naquela noite.

Naquele momento eu os vejo. Três Penneys parados ao lado do portão. Olhando para mim, segurando cartões de embarque, amontoados como os Três Patetas fingindo ser espiões malvestidos. De início, fico com raiva. Em seguida, as últimas palavras do jovem Penney que eu tinha encontrado mais cedo ecoam em minha cabeça.

"Pode esperar."

As pessoas continuam entrando no avião nos quinze minutos seguintes, até que a sala de espera daquele portão fica quase vazia. Aqueles que gostam de esperar até o último instante se aproximam; aliviadas por não terem perdido o voo, diversas pessoas correm com seus cartões de embarque até a funcionária que os está recolhendo. Por fim, restam os três Penneys e eu. A funcionária fala com eles. Eles permanecem perto do balcão, mas não entram no avião. Uma das funcionárias se aproxima de mim, pergunta se tenho um cartão de embarque para aquele voo e avisa que é a última chamada. Eu digo a ela que sofro de ataques de pânico e que não tenho certeza se vou conseguir entrar num avião aquela noite. Pergunto se todos os passageiros já estão lá dentro e ela indica os Penneys, dizendo que faltam alguns, mas que o embarque já está quase terminado. Eu digo que preciso de um minutinho. Mais uma vez, sinto que estou numa encruzilhada importantíssima. Se eu for, posso ser preso em Paris ou Berlim. Se ficar, posso ser preso ali mesmo. Se eu for e não for preso, pode ser que fique tudo bem depois de alguns dias difíceis com Noah. Se eu ficar e não for preso, vou continuar fumando. Disso tenho certeza.

Então eu me levanto, me afasto do portão e fico esperando ser preso. Olho para trás uma vez e vejo dois Penneys se aproximando para dar uma olhada se estou voltando na direção dos detectores de metal. Não me viro para trás de novo e sigo para as esteiras de bagagem. Sei que não vou conseguir chegar ao ponto de táxi. Estou prestes a ser cercado por Penneys, pela polícia, pelos seguranças do aeroporto e por Deus sabe lá mais quem. A última frase de um romance com o qual trabalhei anos atrás surge de repente em meio ao pânico. "Deveria ser agora", dizia o livro, "Deveria ser agora."

Pesco meu celular, vejo que a bateria está no último tracinho e que seu ícone está vermelho e piscando. Ligo para David. Já são mais de onze da noite e a mulher dele, Susie, atende o telefone. Peço desculpas, digo a ela que é importante e pergunto se David está. Claramente, eles estavam dormindo. David pega o telefone e pergunta o que está acontecendo. Digo que estou prestes a ser preso no aeroporto de Newark como usuário de drogas e que preciso que ele me arrume um bom advogado. Peço urgência, e devo estar gritando, porque David faz "Psiu" e pede que eu me acalme. Ele me pergunta em que lugar do aeroporto estou e eu digo que estou deixando o portão de embarque e me aproximando das esteiras de bagagem. David me diz para não desligar, para eu entrar num táxi e ir para casa. Digo que não vou conseguir chegar até o táxi, e então só ouço o silêncio. A bateria acaba. Continuo andando. Ninguém me impede. Saio da área dos portões de embarque e entro na área das esteiras. De repente, todos os Penneys desaparecem. Tenho certeza de que saíram correndo do terminal pelo andar superior e que estão esperando no ponto de táxi. Deixo a área das esteiras, cruzo as portas automáticas e atravesso a rua para chegar ao ponto. Um táxi se aproxima. Eu entro. O taxista pergunta para onde quero ir. Digo que para o prédio Número Um da Quinta Avenida em Manhattan, mas, como acho que vamos ser abordados antes de sairmos do aeroporto, aviso que vai ser uma corrida curta. Ele murmura alguma coisa e sai com o carro. Vejo sua carteira de motorista, a foto está bem visível e mostra o mesmo indiano de cabelos grisalhos e barba que dirige o táxi.

Estou flutuando em estado de choque. Cada segundo que passa, cada centímetro que o táxi avança sem que surjam sirenes e o clarão de luzes piscando me parece um milagre. Então me ocorre que eles provavelmente estão me esperando no apartamento. Pergunto ao taxista se posso usar seu celular. Ele o entrega para mim e ligo para David. "Estou no táxi", digo, "mas não sei se vou conseguir chegar ao prédio." Ele diz que vai me encontrar na portaria do meu prédio e pede que eu me acalme. Concordo e o táxi desliza na direção do túnel, de volta a Nova York. Nem acredito que consegui chegar até ali. Imagino o escândalo de carros da polícia e veículos da Divisão de Controle de Produtos Químicos cercando o Número Um, com luzes piscando e iluminando os rostos curiosos e horrorizados dos outros moradores. Pergunto-me se Trevor, meu porteiro preferido, está na portaria esta noite e no que ele vai pensar quando me algemarem e me levarem embora.

Mas nenhum escândalo acontece. Apenas David, enrolado num casaco e com o cabelo meio desgrenhado de quem acabou de sair da cama, me esperava na portaria. Ele parece exausto e irritado, e diz que vai passar a noite comigo. De manhã vamos tomar café e David me pergunta para qual centro de reabilitação eu quero que ele me leve e, apesar da sombria preocupação que vejo em seu rosto, respondo "Nenhum".

Nos sentamos próximos à janela da frente do Marquet, em banquinhos, e o dia e todas as pessoas que vejo lá fora cintilam como se quisessem me provocar. Este é um mundo precioso, penso, para os Davids e os Noahs, para essa gente cujas vidas perfeitas e bem-aventuradas eu só consigo observar. Um lugar que me permitem visitar, mas onde não posso permanecer. Um lugar que eu já deixei.

David sai do restaurante sem olhar para trás. Não me lembro quais são suas últimas palavras, mas elas são rápidas, claras e tristes.

Sob controle

O menino tem dez anos. Está na hora do jantar. Ele está um pouco mais excitado do que o normal porque seu amigo Kenny está ali e seu tio Teddy, de San Diego, está passando uns dias com a família. Ele adora o tio Teddy. Tio Teddy tem uma piscina, faz um monte de perguntas sobre o colégio e é uma das poucas pessoas que sabem fazer seu pai rir, deixá-lo mais relaxado. Sua mãe prepara hambúrguer ao creme — prato que leva carne moída misturada com sopa de cogumelos em lata e sopa de cebola em pó, e que é servido com biscoito de água e sal, arroz ou purê de batata. Ou talvez ela tenha feito galinha ao creme. Que é a mesma coisa que hambúrguer ao creme, mas leva um saco de legumes congelados — ervilha, cenoura, cebolinhas de coquetel. Esses são os pratos que ela faz — os que aprendeu a fazer em Youngstown, Ohio, quando não havia muito dinheiro, depois que o pai dela morreu, os mesmos que fazia quando era aeromoça e morava no Queens com quatro amigas. O menino ama esses pratos; ele os come sem parar duas, três vezes. Seu pai chama esses pratos de porcaria. Esta noite ele diz que não acredita que ela queria dar aquela merda para o irmão dele comer. Quando seu pai está em casa, vindo de uma de suas viagens, em geral ele cozinha mais alguma outra coisa — um peixe na grelha, uma lagosta cozida —, é isso que ele vai preparar desta vez.

A cozinha está cheia de gente. Sua mãe mexe as panelas no fogão. Sua irmã mais velha, Kim, está pondo a mesa e Sean, o irmão mais novo, e Lisa, a irmã mais nova, estão vendo televisão no cômodo ao lado. O grande copo de cristal de seu pai está cheio de uísque e tio Teddy tem na mão uma garrafa de cerveja.

Os meninos estão atormentando as lagostas na pia, dando nomes a cada uma delas e narrando seus movimentos crustáceos como comentaristas de uma luta de boxe. Kenny batiza a menorzinha de Mama-Pet, que é o apelido que eles deram para Kim, e os dois morrem de rir ao verem as lagostas maiores subirem nela. "Oh, nããããããoooooo... Mama-Pet!" Kenny se vira para Kim, que está arrumando os talheres na mesa de jantar, e diz: "Corra, Mama-Pet! Você vai ser esmagada! Corra! Corra, Mama-Pet!". Os dois meninos mal conseguem falar de tanto que gargalham. Isso continua até Kim bater um livro com força na mesa e ir embora furiosa, gritando: "Eu odeio vocês!" com um tom assustador. Eles amam isso, e ficam tontos de rir. Tio Teddy ri também e diz gentilmente aos dois que eles são terríveis, mas é claro que ele está se divertindo.

O jantar é servido, e seu pai não fala muito. Teddy é mais novo do que ele, mas quem não é da família provavelmente acharia que ele é o patriarca, o mais velho dos sete irmãos, o líder. Talvez por isso lhe pareça seguro falar durante o jantar. Talvez o ataque de riso na cozinha e os sorrisos de aprovação de Teddy lhe deem a confiança necessária para abrir a boca. É isso que ele faz. Ele fala do seu time de futebol para Teddy. Conta como eles vão jogar em outras cidades; conta que ele joga na meia-direita, às vezes como cabeça de área. Fala de Joe, o menino mais gordo da turma, que também é o mais rápido, e de como ele joga no meio-campo e faz a maioria dos gols. Seu pai não diz nada durante esse tempo todo, mas se levanta algumas vezes para ir à cozinha se servir de mais um drinque. Kenny conta de um colega de turma deles, Dennis, diz que ele não toma banho e mora numa casa sem água corrente. Dennis tem uma pálpebra deformada, que cobre metade de seu olho esquerdo mesmo quando ele está aberto, e Kenny explica que isso foi causado por desnutrição quando ele era bebê. Que a família dele é tão pobre que não tinha dinheiro para alimentá-lo.

A mãe dele diz algo gentil sobre a família de Dennis. Kim manda Kenny calar a boca.

Os meninos continuam tagarelando — sobre o colégio, sobre as irmãs de Kenny, sobre sei lá mais o quê — e Teddy ouve tudo com paciência, dando sua risada rápida e gostosa, o que incentiva os dois a continuar.

Lisa brinca com a comida e Sean está na cadeirinha.

De longe, parece uma família como outra qualquer. De longe, ele parece um menino como outro qualquer. Rindo com o amigo. Falando de futebol. Usando uma calça de veludo e uma camisa de gola rulê como qualquer menino da sua idade. Mesmo se você olhasse de perto, não ia ver que ele é um menino que à noite reza para não acordar.

Ele diz alguma coisa, alguma coisa que agora já nem se lembra mais, e seu pai finalmente reage: "Ah, é, Willie?". Seu pai contradiz o que foi dito, embora ele já não saiba se foi sobre futebol, sobre

Dennis, sobre o colégio ou sobre as mariposas esvoaçando loucamente em torno das luzes da varanda. O comentário não parece tão grosseiro, mas ele sabe que seu pai só está começando. Mesmo assim, o que aconteceu uma hora antes na cozinha lhe dá coragem — tio Teddy, Kenny —, ele se sente no mesmo time que os dois e por isso, seguro. O menino comenta alguma outra coisa. Não vem ao caso. Seu pai, então, diz algo que ninguém mais entende, só ele. "Parece que você já está com tudo resolvido, Willie", provoca ele. "Parece que você já está com as coisas todas em ordem." Quando seu pai diz isso, ele sabe que foi longe demais e que não deve mais abrir a boca. "Você está com a vida organizada, não é mesmo, Willie?" A voz dele tem um forte sotaque de Boston e está enrolada por causa do uísque. "Seus problemas estão todos sob controle? Tem algum problema sobre o qual você queira falar? Ou será que eu devo falar? Que tal?" A esta altura, ninguém diz mais nada, ninguém entende o que está acontecendo. Mas o menino, sim. E ele reza para que o pai pare com aquilo e para que ele, logo agora, não revele o que sabe, o que sempre vai poder usar para chantageá-lo. O menino se pergunta se o pai contou seu problema para o tio Teddy, pois ele o está olhando de um jeito estranho agora. Será por pena ou nojo? Ele não sabe. O calor sobe às suas faces naquela atmosfera tensa, e por fim Tio Teddy começa a falar de Chris, seu filho, e de como ele está participando de uma peça no colégio, ou faz parte de um time qualquer, ou está construindo uma casa na árvore.

O jantar fica mais tranquilo, e o momento constrangedor é ignorado ou esquecido. A mãe pede uma ajuda na cozinha e reclama que tem sentido dor nas costas de novo. "Pode ser uma hérnia de disco", suspira. Seu pai revira os olhos, Kim corre para lavar a louça e ele e Kenny levam alguns pratos para a cozinha e depois vão em disparada lá para cima.

Em dado momento antes de ir para a cama, ele vai ao banheiro e demora mais tempo do que o normal. Sua mãe bate na porta uma vez e Kenny algumas vezes; ele abre a torneira, dança, faz a bagunça e limpa tudo depois. Ele conseguiu, mas quando volta para o seu quarto, onde Kenny já está dormindo, tira as roupas em silêncio, põe cuidadosamente as peças molhadas sob as toalhas no cesto de roupa suja e se aninha debaixo das cobertas. Parece-lhe que aquilo está longe de acabar.

Manhã

Estou no hotel Gansevoort há quase duas semanas. Já estive em outros quartos, em outros hotéis. Todos perto de casa — no Soho, no West Village, em Chelsea —, mas me sinto em outro mundo, em lugares onde jamais estive. Quando faço o check-in, dou nomes da minha infância — Kenny Schweter, Michael Lloyd, Adam Grant-West — e explico que briguei com minha namorada e não quero ser encontrado. Ninguém nem pisca. Eles apenas olham meu passaporte, passam o cartão de débito e me entregam uma chave.

É no Gansevoort que fico mais tempo. Nos outros lugares passei apenas uma ou duas noites, quatro no máximo — no 60 Thompson, no W, no Maritime, no Washington Square Hotel. Isso foi depois de Newark, depois das noites no apartamento de Mark e depois da minha estada na cidade de New Canaan, em Connecticut, no centro de reabilitação Silver Hill, para onde minhas amigas Lili e Eliza me levaram e de onde eu saí imediatamente. Consegui comprar crack do motorista que me deu carona e em seguida ele me deixou no Courtyard Marriott de Norwalk, onde fiquei até as pedras acabarem — acalentando a ideia de morrer a poucos quilômetros do hospital onde nasci.

Já mudei de quarto algumas vezes e agora estou numa suíte que, segundo o gerente, ele está me oferecendo por quase metade do preço, já que vou ficar hospedado por pelo menos algumas semanas. Ele não teve essa ideia assim do nada; quando mudei de quarto, perguntei ao funcionário da recepção se havia um desconto para permanências mais longas.

Toda noite, ouço vozes na rua: "Tome cuidado, Billy. Aproveite enquanto é tempo. Você tem sorte de ter durado tanto, Billy". Há vans estacionadas na rua Gansevoort com caixas de metal presas no teto, e estou convencido de que elas estão ali me vigiando. Por toda parte há inofensivos sedãs americanos, e todos, eu tenho certeza, estão sendo conduzidos por um policial da Divisão de Controle de Produtos Químicos ou por um tira disfarçado. Mesmo assim, todas as noites após a meia-noite, eu ponho minha jaqueta Arc'teryx e meu boné preto do Departamento de Parques e Jardins, passo sorrateiramente pelo saguão e vou até a rua 14 tirar dinheiro no caixa eletrônico da loja de conveniência da esquina. A loja tem dois caixas, um ao lado do outro, e eu consigo passar o cartão e digitar a senha e o valor do saque tão rápido nos dois que eles me dão mais do que o limite de saque de mil dólares. Normalmente, preciso esperar e fazer cinco saques de duzentos. Noite após noite, eu faço isso e depois compro um monte de isqueiros. Fico imaginando quantas pessoas como eu os funcionários atrás do balcão já terão visto. Centenas? Nenhuma?

Volto para o hotel, sempre levando comigo todo o crack e todos os cachimbos que tenho, pois morro de medo de que alguém faça uma busca no quarto enquanto eu estiver fora. Já derrubei saquinhos de crack no saguão duas vezes. Meu cinto já tem dez furos. No começo, tinha só seis. Furei alguns com uma faca, e fiz outros em sapateiros que encontrei pelo caminho indo dos hotéis para os caixas eletrônicos. Mesmo assim, minha calça jeans está quase caindo.

Não estou sozinho no quarto. Malcolm está comigo há quatro ou cinco, talvez seis dias. Ele apareceu com Happy uma noite e pulou para dentro do barco. Diz que estudou em Princeton. É negro, mora no Harlem, não deve ter mais de trinta anos, e é lindo. Não parece ser gay e consegue fumar uma quantidade enorme de crack sem ficar trêmulo ou ansioso.

Uma noite, me convenço de que o quarto vai ser invadido pela polícia, e saímos correndo do hotel como se ele estivesse pegando fogo. Deixamos tudo lá — tudo menos o crack — e vamos para o W perto da Union Square. No quarto, ando de um lado para o outro como um louco, e Malcolm tem paciência comigo e me prepara copos de vodca com gelo e limão. Ele me distrai contando histórias da época em que tinha uma bolsa em Princeton e jogava futebol americano. Ele largou a faculdade há um ano, mas planeja voltar depois que tiver economizado dinheiro suficiente, ou quando conseguir um desconto melhor na mensalidade. Vai tirar uma licença para trabalhar como corretor. Quando pergunto de onde Malcolm conhece Happy, ele diz que é do bairro dele, e quando eu lembro que Happy mora em Washington Heights ele diz que também já morou lá. A história dele parece ser toda mentirosa, mas eu não ligo. Ele é gentil e sexy, e ficar sozinho agora seria insuportável. Estar com ele faz com que as noites anteriores e a perspectiva das que virão depois dele me pareçam indescritivelmente solitárias. Em algumas dessas noites, telefono para os garotos de programa anunciados nas últimas páginas do *Village Voice* e da *New York Magazine*. Nenhum deles fuma comigo, e a maioria só fica exatamente uma hora. Seus corpos e sua compaixão — a maioria a certa altura diz que eu preciso ir mais devagar, que assim posso me prejudicar — nunca são suficientes, nunca são bem o que eu tinha em mente e, quando eles vão embora, eu quase sempre sinto alívio e decepção.

O quarto do W é pequeno se comparado com o do Gansevoort. Além de ser apertado, a ventilação preocupa, pois a fumaça que soltamos parece ficar por ali mesmo, em vez de sair pelo sistema de ventilação. Morro de medo que um alarme de incêndio dispare, como aconteceu no 60 Thompson. Penso em ir para um terceiro hotel, mas estou começando a ficar sem dinheiro. Há pouco mais de vinte mil na minha conta, mas já gastei mais que o dobro disso — assim, ou é ficar aqui ou voltar para o Gansevoort.

Pegamos o pouco que temos e vamos embora. Voltar para o Gansevoort é apavorante, mas, por mais que eu ache que vamos ser pegos, caminho com passos firmes até o elevador, pelo corredor e depois até o quarto. Ele está exatamente do jeito que estava quando o deixamos há poucas horas. Vou direto para a janela ver se há carros da polícia estacionados na frente do hotel. Nada. Ninguém além do porteiro e alguns transeuntes. Em seguida, vou até o armário e depois ao banheiro, para ver se há alguém ali de tocaia. Está tudo tranquilo, mas preciso fumar algumas vezes, beber meia garrafa de vodca e me embolar com Malcolm na cama para o pânico ir embora.

Mais tarde, quando o sol aparece, Malcolm vai até a varandinha. "Daqui a pouco vou puxar o carro", diz. A bateria do celular dele acabou, e ele diz que precisa retomar a sua vida. Eu o convenço a ficar mais uma noite comigo. Nós temos o suficiente para nos segurar até o início da noite, quando Happy volta a trabalhar, e eu prometo a ele comprar um monte. O dia passa devagar como sempre, e a rotina de fazer sexo, beber, fumar e pedir comida na qual nós mal tocamos se repete como no dia anterior.

Malcolm fala de sua vida no mundo lá fora, o que me faz pensar na minha e rezar em silêncio para que uma dessas tragadas acabe comigo. Coloco mais pedra a cada vez e seguro a fumaça por um ou dois segundos a mais do que penso que vou conseguir. O pescoço lateja, o braço dói, e me pergunto quando vai acontecer. De novo, a frase daquele livro. "Deveria ser agora."

Malcolm arruma suas coisas de manhã enquanto estou dormindo. Ouço a descarga no banheiro e percebo que ele praticamente esvaziou o cinzeiro onde guardo o crack. Deixou algumas pedras, mas levou muitas. Eu deixo pra lá. Não porque não me importo, mas porque eu já sabia que ele ia me roubar e, na noite anterior, enquanto ele estava tomando banho, escondi dois saquinhos na minha jaqueta que vão durar até meia-noite, quando vou poder pegar mais dinheiro. Nossa despedida é rápida.

O dia se arrasta. Tento ouvir meus recados — algo que evito fazer há dias —, mas o celular manda uma mensagem que eu nunca vi antes e que me parece profética: "Memória cheia. Nova mensagem de texto rejeitada". Aquilo fica piscando na telinha e não me deixa acessar minha caixa postal. Depois de tentar por alguns minutos, desisto. Quando a noite chega, um menino com cara de *nerd* do serviço de quarto do hotel me traz um prato de *nachos* que eu não como. A verdade é que peço comida para ter algum calor humano. O menino flerta comigo e fala da New York University, onde está estudando ciências políticas, e dos cinco caras com quem mora em Williamsburg. Enquanto diz essas coisas, a juventude dele me envergonha: pele rosada, olhos límpidos, uma voz sem o peso do sarcasmo ou da exaustão. O menino se aproxima de mim, e eu quase posso sentir o cheiro do sabonete Ivory que ele deve ter usado de manhã quando tomava banho naquele apartamento lotado de Williamsburg antes de vir trabalhar. Ele não poderia estar mais próximo de mim e eu não poderia me sentir mais longe dele. É um garoto no início de tudo, puro e adorável sem nem ter consciência disso ainda. E eu sou outra coisa, não um menino, com mãos cobertas de queimaduras e de fuligem negra após ter passado a noite trocando o filtro de Bombril dos cachimbos de crack. No começo eu tinha pensado em seduzi-lo, mas quando ele termina de falar só consigo assinar a nota e me afastar. Quando o menino vai embora, as vozes lá fora gritam mais alto do que o normal. Por fim, consigo ouvir um recado de Noah dizendo que ele me ama e que não está zangado, mas morrendo de medo de eu estar morto. "Venha para casa."

Fumo e bebo mais e, quando as vozes lá fora ficam muito altas e eu tenho a certeza de que estou vendo um homem no prédio da frente com uma câmera virada para o meu quarto, dou uma tragada enorme e decido voltar para casa. Encarar a situação e me aninhar nos braços de Noah. Pego o crack e meus cachimbos, limpo as migalhas de cima das mesas, e saio dali.

Um táxi se aproxima de mim enquanto caminho pela rua Gansevoort. Ele diminui a marcha gentilmente e eu pulo para dentro. "Para casa?", pergunta com uma espécie de sorriso o motorista de feições grosseiras típicas do Leste Europeu e um sotaque áspero que combina com seu rosto. Eu digo que sim. A música que está tocando no táxi é "What a wonderful world" na voz de Louis Armstrong, que me enfeitiça e me tranquiliza. A atmosfera cintila, como se o táxi fosse encantado. O pânico que eu havia sentido no quarto de hotel minutos antes desapareceu. "Você é um deles, não é?", pergunto, como já perguntei a alguns taxistas que pareciam saber para onde eu estava indo, mas que apenas sorriam em resposta. Vejo a foto do taxista, que, como todas as outras naquele dia, desde o aeroporto, está coberta por um papelão ou um pedaço de papel. Olho para o banco do passageiro na frente e vejo, como já vi pelo menos uma dúzia de vezes, saquinhos de plástico cuidadosamente arrumados e cheios de dinheiro — notas de um dólar num deles, notas maiores em outro, e moedas em mais outro. Assim como todos os outros táxis conduzidos por motoristas que parecem conhecer algum segredo, este é imaculadamente limpo. Pergunto ao taxista para quem ele trabalha, e ele dá uma risadinha e diz que não pode me dizer. Insisto e ele apenas ri. "Mas você trabalha para alguém e não é um taxista de verdade, certo?" Ele ri mais um pouco e diz: "Você é o primeiro que percebeu". Eu nem acredito que ele cruzou a fronteira e admitiu que não é um taxista da cidade de Nova York! "Eu sabia!", exclamo, aliviado por esses estranhos encontros com taxistas não serem alucinações da paranoia causada pelo crack.

O taxista parece ser uma pessoa bondosa. Quando ele se vira para falar comigo, a luz dança em seus olhos. Ele é paternal e parece estar achando aquilo engraçado. Eu faço mais perguntas. "Por que eles não me prendem logo?" Ele diz que é porque eles querem me vigiar. Que eles vêm me observando há muito tempo, desde antes da minha última loucura, e que só agora eu consegui notar. "É bom?", eu pergunto, e ele diz: "É, é bom, sim. Alguém está tomando conta de você. Você vai ficar bem". Pergunto quem é, e o taxista responde que não pode dizer. Mas diz que eu sou sortudo e, mais uma vez, que não preciso me preocupar. Pergunto se eles me escutam quando estou no hotel, e ele diz que sim. Peço-lhe uma prova, e ele diz: "Bom, sabe como é, você fica muito chateado às vezes. Muito nervoso e muito chateado". Pergunto se eles me ouvem e me veem fazendo sexo, e ele ri e diz que sim, mas que não é para eu me preocupar, pois eles já viram de tudo. Chegamos ao Número Um, e eu me sinto calmo e estranhamente feliz. "Nem preciso pagar, certo?", pergunto, e o taxista sorri e faz um gesto indicando que eu posso ir. "Não fique tão nervoso, vai dar tudo certo", diz quando saio do táxi.

Sou tomado por uma onda de alívio e, quando estou parado diante do meu prédio, duas pessoas passam — estão usando os sapatos, os casacos, os fones de ouvido, toda a roupa da JC Penney — e sorriem como se eu finalmente houvesse ficado sabendo de um grande segredo. Agora vejo que todos eles, todas as pessoas de casaco de náilon, estavam cuidando de mim durante esse tempo todo. "Eles estavam me protegendo!", exclamo em voz alta. Por isso não fui preso. Olho em volta, na Quinta Avenida e na rua 8, e vejo diversas pessoas me olhando enquanto caminham com aquele andar inconfundível, deliberado e performaticamente normal.

Trevor está no balcão da portaria e não parece assustado ao me ver. Isso acontece antes de Noah avisar à administração do prédio que devem ligar para ele se um dos funcionários me vir, antes de ele trocar a fechadura da porta. Passo correndo por Trevor, que me grita um oi. Quando entro no apartamento, vejo que ele está vazio. Não me ocorreu que Noah não estaria em casa. Sirvo-me de um drinque, fumo um pouco de crack no banheiro e fico andando de um lado para o outro na sala pelo que me parece ser uma eternidade. É estranho estar em casa depois de três semanas fora. Benny, meu gato, me olha desconfiado e some para dentro do quarto. O apartamento parece menor do que eu me lembrava, mais perfeitinho, como se cada almofada, cada livro e cada fotografia fossem parte de uma exibição meticulosamente produzida sobre A Vida de Antes. Enquanto espero, fico imaginando a cena que vai acontecer quando Noah voltar. Ele vai querer que eu entregue todo o crack que tenho comigo e que concorde em ir para um centro de reabilitação. Estou desesperado para vê-lo. Quero abraçá-lo, ser abraçado por ele e, de alguma maneira, esquecer as últimas semanas e voltar para a nossa vida. Mas, quanto mais tempo vou ficando lá, mais começo a achar aquilo impossível. Não sei quantas horas fico no meu apartamento naquela noite, mas é tempo demais, ou um tempo insuficiente, e acabo indo embora.

Lá fora, um táxi para e me leva de volta ao hotel sem que eu precise dar nenhuma instrução. Olho para o taxista quando ele estaciona diante do Gansevoort, e ele dá de ombros como quem diz: "Valeu a tentativa". Ele cobre o taxímetro com a mão e faz sinal para eu sair. Mais uma vez, deixo um táxi sem pagar.

Aquela noite corre rápido e eu passo cada segundo dela acordado, sozinho. Pouco depois da meia-noite, Happy aparece e eu gasto até o último centavo do que consegui tirar, mil dólares. Ele não diz uma palavra quando me entrega os saquinhos e os cachimbos novos. Não faz nenhum comentário sobre meus pedidos cada vez maiores ou sobre o fato de que os estou fazendo todos os dias. De que venho ligando para ele todas as noites há quase três semanas.

Peço dois litros de vodca e baldes de gelo sempre que ligo para o serviço de quarto, mas me parece que a bebida está sempre acabando. Fumo crack sem parar e bebo muito entre uma tragada e outra. Faço queimaduras feias nas mãos por não conseguir parar de dar tragadas grandes demais nos cachimbos. Tomo três ou quatro banhos. Coloco o máximo de xampu que consigo na cabeça, lavo o rosto com o sabonete facial chique do hotel, me enxáguo e me sinto limpo por algum tempo.

A certa altura, sou capaz de jurar que uma das lentes de contato ficou dobrada atrás da minha pálpebra. Levanto a pálpebra com uma das mãos enquanto a outra arranha e cutuca o olho, tentando sentir a diferença entre a pontinha frágil da lente e a superfície escorregadia da córnea. Após cerca de uma hora dessa agressão, meu olho está ardendo e toda a área vermelha e inchada. A ardência piorou e eu tenho certeza de que é porque esqueci de lavar as mãos, que estão cobertas de resíduo. Paro um pouco para ir lavá-las e imediatamente vejo as lentes de contato grudadas na torneira de água quente. Olho no espelho, e parece que alguém derramou ácido no meu olho. A agitação das últimas horas explode e eu grito, bem alto e para ninguém, e volto furioso para o quarto, jogando travesseiros, roupas e o que mais encontro pela frente. Atiro uma jarra de água e ela quebra em cima da cômoda. O estrondo me detém. No mesmo instante, começo a me preocupar, achando que fiz barulho demais e que o gerente vai aparecer. Passo as horas seguintes espiando pelo olho mágico e por baixo da porta diversas vezes. Depois haverá outro banho, outro fumo, outra bebida, mais xampu, mais sabonete, mais água, mais olhadelas por baixo da porta e pelo olho mágico.

Lá pelas seis da manhã, percebo que o sol, a leste daqui, do outro lado da cidade, está iluminando o céu acima do Hudson. Ele rabisca pinceladas de um rosa bem pálido atrás dos prédios baixos do Meatpacking District. Eu não notei quando, exatamente, a fúria da noite começou a morrer, mas agora ela desapareceu. Vou até a pequena varanda do quarto, inalo o ar gelado e calmo e me sinto aliviado, exaurido, como se uma grande luta houvesse acabado. As palavras de um poema de Emily Dickinson surgem de uma lembrança distante: "Não era o Juízo Final, apenas a manhã/ A manhã: bela e primorosa". Digo as estrofes em voz alta. Rio, pois a palavra manhã me parece agora ser a mais linda e consoladora palavra que eu já ouvi, apesar de ser o que já temi tantas vezes. A manhã! Quem diria, bela e primorosa.

Pássaros, centenas deles, voam em círculos sobre o rio. Eles mergulham e arremetem contra o céu, que ainda está quase todo escuro. Eu me pergunto se são gaivotas, e imediatamente descarto essa possibilidade. Mas o que mais poderiam ser? Eles se multiplicam enquanto a luz cor-de-rosa se expande e se mistura mais com o azul cada vez mais claro. Centenas viram milhares, e o céu se torna uma belíssima confusão de asas. É como se uma tela do mundo houvesse sido removida e me fosse permitido vislumbrar o paraíso. Pela primeira vez, eu me pergunto se ainda estou vivo.

Me apoio no parapeito da janela e vejo dois sedãs negros passarem devagar na frente do hotel, um atrás do outro. O da frente está imediatamente abaixo de mim, e consigo ver as mãos do motorista no volante. Também vejo que há pessoas andando nas calçadas. A maioria está em dupla, mas diversas estão sozinhas. Todas, claro, usam as mesmas calças, sapatos e jaquetas de náilon que eu vejo desde Newark. Seus passos e movimentos parecem seguir uma coreografia muito específica de vigilância urbana. Assim como os Penneys da noite de ontem, não parecem ameaçadores. Os pássaros cruzam o céu lá em cima e eu dou um passo atrás para observar o que parece ser um espetáculo teatral em que nenhum detalhe foi esquecido. Lembro do aeroporto de Newark e de todos os táxis que aparecem como por milagre bem na hora em que preciso deles. Lembro do taxista da noite passada e das palavras que ele me disse quando saí de seu táxi mágico — "Vai dar tudo certo". Assim como quando estava na frente do meu prédio, penso que eu talvez esteja fugindo de alguma coisa que esteve do meu lado esse tempo todo. Que talvez, se houver um sistema organizado de observação, ele tenha sido feito para proteger, e não para ser uma armadilha. Enrubesço com o pensamento de que algo tão elaborado e furtivo possa trazer em seu âmago a preocupação, e quem sabe até o amor. Por uns bons minutos, permaneço debruçado no parapeito sentindo a brisa gentil da manhã.

Acabo percebendo que o motorista do carro lá embaixo tem nas mãos um grande cartão branco. Está escrevendo alguma coisa nele com uma caneta piloto preta. Seus movimentos são insuportavelmente lentos e ele não para de apagar o que vai escrevendo com um pequeno pano branco, para depois começar a escrever de novo. Vou para dentro do quarto, dou uma grande tragada e me sirvo de mais um copo de vodca. Quando volto à varanda, o motorista ainda está escrevendo. Só posso ver seus braços, torso e mãos. A cabeça e o rosto estão escondidos. Finalmente, ele coloca o cartão no painel do carro, virado para a janela da frente. Está escrito "Barbeiro". Agora que acabou de escrever no cartão, ele começa a remexer uma caixa preta e brilhante. Seus movimentos são tão rápidos que os dedos viram um borrão e fazem manobras misteriosas lá dentro por longos minutos. Tenho certeza de que ele está pondo crack num cachimbo. O homem então tira um isqueiro do bolso do blazer e começa a produzir faíscas com ele. Faz isso diversas vezes, mas não para acender ou queimar alguma coisa, só para fazer a faísca. Ele mantém a chama acesa por um segundo, depois começa a fazer faíscas de novo. Agora estou debruçado o máximo possível sobre a varanda. Tenho certeza de que o motorista está me fazendo um sinal numa linguagem críptica que estou à beira de decifrar. De repente, tudo depende da minha capacidade de entender o que ele quer me comunicar. Eu grito "O que você está tentando dizer?", mas ele não dá nenhuma indicação de ter escutado.

Depois de algum tempo, ele para de produzir faíscas com o isqueiro e remove cuidadosamente o cartão branco do painel. De novo ele começa a apagar e a escrever. Faz isso mais uma vez, e devagar. Logo começa a escrever outra palavra, ainda mais lentamente do que antes. Quando termina, coloca o cartão no painel outra vez. "Tocheiro", diz o cartão, e minha cabeça voa com a conexão entre essa palavra e as faíscas do isqueiro. "O que você quer dizer?", grito da varanda. O motorista larga a caneta piloto e pousa as mãos no colo. Eu o observo por longo tempo, e ele não se move. Uma por uma e, aos pares, as pessoas que caminham lá fora começam a desaparecer. Devagar, dobram esquinas ou vão desaparecendo atrás de prédios ou de caminhões.

O motorista fica imóvel como uma estátua, e já são quase sete da manhã. Estou desperto e calmo, sem nenhuma sensação de preocupação ou de solidão. Meu corpo está leve e relaxado e, pelo menos dessa vez, não treme nem tem espasmos. Passei a noite em claro, mas me sinto bem descansado. Ainda há traços de rosa no céu, e sinto uma vontade enorme de sair e caminhar um pouco para aproveitar a manhã. Sem passar pela rotina costumeira de limpar as superfícies dos móveis, fumar um pouco, me vestir e me despir, apenas ponho o jeans, o suéter, o sapato, e saio.

Os dois carros sumiram da frente do hotel quando saio. As ruas estão vazias, e eu desço a 12 Little West até Washington. Só consigo caminhar alguns quarteirões antes de começar a ficar ansioso, e a atmosfera mágica que brilhou por entre os prédios minutos antes desaparece e é substituída pelo fedor de carne e pelo ruído baixo dos caminhões de entrega.

Vou até a rua 14 e, quando me viro para voltar ao hotel, um cara da minha idade com roupa de ginástica e boné me cumprimenta. Ele tem o cabelo desgrenhado, é bonito, está em forma, e me parece a coisa certa para dissipar aquela nuvem que está baixando sobre mim. O cara pergunta se eu estava me divertindo, eu digo que sim e, em poucos minutos, ele está no meu quarto se drogando comigo. Tiramos as blusas e nos beijamos um pouco. Ele está lá há pouco tempo, quando meu telefone toca. Eu me afasto da cama e, depois de lutar diversos rounds com a mensagem "Memória cheia. Nova mensagem de texto rejeitada", consigo ouvir o recado na minha caixa postal. É de Malcolm, de quem eu me esqueci completamente e que me parece tão distante quanto um amigo de uma das colônias de férias da minha infância. Sua voz está séria e seu recado começa dizendo "Ei, Bill, preciso muito te contar uma coisa..."

Desligo o telefone e nunca vou ouvir o resto do recado, pois nesse instante alguém bate na porta. São batidas fortes e urgentes e, quando vou até a porta e espio pelo olho mágico, vejo Noah.

Onde

No ensino fundamental: banheiro da enfermaria da escola. O banheiro fica no fim de um corredor, longe da escrivaninha da enfermeira, tem uma porta que tranca. Lado ruim: é o banheiro que o diretor usa. Lado bom: nunca tem ninguém na enfermaria. Nem a enfermeira.

No ensino médio: banheiro da enfermaria da escola. Arriscado durante a hora do almoço. Segunda opção: banheiro masculino ao lado da sala de francês, no segundo andar do prédio antigo. Quase sempre vazio, a não ser de manhã, antes da chamada geral feita no pátio.

Em casa: O melhor é o banheiro ao lado do escritório do meu pai, nos fundos da casa, do outro lado da sala de estar e da sala de jantar da frente (só quando meu pai está viajando). Na primavera, no verão e no outono, quando o tempo está bom e quando meu pai está em casa: no bosque. No inverno ou quando o tempo está ruim e meu pai está em casa: banheiro das crianças no andar de cima, mas superdepressa.

NA CASA DOS AMIGOS

Casa de Derek: banheiro do porão.

Casa de Jenny: atrás do estábulo ou no banheiro do porão.

Casa de Michael: banheiro no andar de cima entre os quartos de Michael e Lisa, em cima da garagem. Se os pais dele não estiverem em casa ou estiverem no celeiro, o banheiro deles na ponta da casa. Se a casa estiver cheia de gente, atrás do celeiro.

Casa de Adam: banheiro do andar de baixo da igreja onde seu pai é ministro, do outro lado da rua.

Casa do Patrick: banheiro abandonado no andar de baixo, numa parte da casa que está em obra há anos.

Casa do Kenny: A CASA MAIS DIFÍCIL. Só dois banheiros, ambos perto de áreas onde sempre tem gente. Escolher um e torcer para acabar logo.

NÃO ESQUECER

1. Tentar usar banheiros no andar térreo (as pessoas no andar abaixo do banheiro conseguem escutar você pulando).

2. Colocar tapetes e toalhas na frente da privada para abafar seus passos.

3. Se não tiver escolha e precisar usar um banheiro no andar de cima: evite banheiros que fiquem em cima das salas onde as pessoas estão e use mais toalhas e tapetes ainda.

4. Não use papel higiênico demais na hora de limpar. Isso entope a privada.

5. Se houver uma parede perto da privada, faça xixi de costas para ela.

Outra porta

A família se muda quando ele tem sete anos. São as férias de verão entre a segunda e a terceira série, e é uma casa no fim de uma longa entrada para carros, perto do fim de uma longa estrada, a quinze longos minutos de uma cidadezinha que fica nas montanhas de Connecticut sem nenhum sinal de trânsito. Seus pais passam anos reformando a casa e acrescentam quartos, varandas e uma sala de estar e uma de jantar com um lindo piso de madeira que jamais são usadas. O dinheiro acaba e os andares de cima, onde ficam os quartos, nunca vão ser acarpetados ou ter um piso decente. Eles espalham amostras de carpetes e tapetes sobre a madeira áspera para que a gente não enfie farpas no pé. De uma casa de fazenda bem larga, mas de apenas um andar, ela se transforma numa imensa casa em estilo colonial holandês. Fica no topo de uma colina, "uma das mais altas de Connecticut", diz seu pai, e é cercada por quarenta hectares de gramados e árvores.

Há uma nova paisagem de portas — outro banheiro de enfermaria na escola, outros bosques onde desaparecer, celeiros atrás dos quais se esconder, outras casas de amigos com diversas armadilhas e lugares afastados para a dança, o pânico e, por fim, o alívio.

A turma da terceira série é pequena. Pouco mais de vinte alunos na série inteira, pouco mais de dez em sua sala. Ele está lá há apenas alguns meses quando uma aluna nova chega. Ela é pequena, loira, parece um passarinho e o trata com uma intimidade instantânea — como se fosse sua irmã ou uma espécie de mãezinha. A autoridade dela sobre ele também é imediata, porém é uma autoridade gentil e difícil de notar. Ele entende que ela é melhor e mais sábia, mas também que é parte dele. Desde o primeiro segundo em que ela entra em sua turma, ele se submete a ela, a admira e, mesmo quando a está ignorando, anseia por sua aprovação. Katherine.

Ela lê. Está sempre lendo. Ela pergunta o que ele acha dos livros que os dois precisam ler para a escola. Na quarta série, um livro sobre uma família imortal e uma menina que se apaixona por um de seus membros depois de dar com ele bebendo água em uma fonte no bosque atrás da casa dela; na quinta série, uma longa sequência alegórica de livros sobre crianças inglesas que precisam lutar contra o nascimento do mal no mundo. Mais tarde, cedo demais, ela deixa exemplares de Brontë e Dickens no armário dele. Ele os devora, se preocupa por não entender algumas palavras, adora todos aqueles livros porque ela os adora, e muitas vezes chora de soluçar quando chega ao fim, pois durante algumas horas permaneceu longe, fora do tempo, num lugar onde não consegue se lembrar de si mesmo, e é um choque, sempre um triste choque, voltar. Ela fala sobre esses livros e toda vez, em cada livro, ela vê mais coisas, vê melhor e descobre palavras para descrever o que vê que o deixam embasbacado. Ele rouba essas palavras e as usa também. Sozinho, nos trabalhos escolares, quando conversa com adultos, professores. Com cada uma dessas palavras, ele sente que se transforma numa pessoa melhor, com mais uma dobra desamassada. As palavras dela têm uma espécie de mágica, como as vestimentas que carregam os personagens das histórias para fora de suas vidas. Um vestido que transforma em princesa uma borralheira limpadora de chaminés, um sapato que a devolve ao castelo depois que tudo desaparece. Ela usa a palavra "dessultório" na oitava série, e até hoje ele dá um jeito de incluí-la em suas conversas, da mesma forma como um campeão de natação casualmente menciona suas medalhas.

Eles descobrem que suas famílias moraram em cidades muito próximas antes de virem para onde estão. Descobrem que nasceram no mesmo hospital, com sete dias de diferença. Ele nasceu antes, mas acabou inalando vômito, que foi parar nos pulmões, e ficou no berçário uma semana a mais, por isso eles imaginam que houve uma espécie de conexão nascida naquelas horas primitivas e frágeis, quando pais não existiam, e havia apenas enfermeiras e outras almas de outubro que também gritavam, irrompendo na vida.

Ela concorda em beijá-lo na oitava série. É a véspera do aniversário dele de treze anos, e um grupo, o mesmo grupo de sempre — Kenny, Gwen, Adam, Michael, Jennifer —, passa o dia na cama elástica que fica atrás da loja de produtos naturais. Atrás da cama elástica fica o bosque e um caminhozinho onde eles vão se beijar, e onde aqueles que não estão beijando ninguém espiam os que estão. Naquele dia ela concorda em beijá-lo, concorda em descer aquele caminhozinho e entrar no bosque. Aquilo foi discutido ao longo da semana e agora é aquele dia, um domingo, e todos estão lá.

Ela se esquiva. Ou hesita. Ou algo assim. Ele nunca consegue lembrar. Fica frustrado e vai com Kenny e mais alguns outros para uma loja chamada The Nutmeg Pantry para comprar chocolate e refrigerante. Ela fica ali, e ele teme que, mesmo depois que voltar da loja, ela continue se recusando a descer o caminho com ele. O grupinho vai embora, eles atravessam o estacionamento do shopping e a Rota 7. Compram o que quer que seja e voltam. Ele vai mais devagar, com medo de que ela tenha mudado de ideia ou escolhido outro. Que ele vá ser o único a não entrar no bosque naquele dia. Todos atravessam de volta a Rota 7 e ele segue por último. Ele faz o mesmo do outro lado, e tudo fica branco.

Mais tarde, ele se lembra de uma ambulância e das vozes da cidade confortando-o. Da sensação de não estar em lugar nenhum — entre a terra e o mar, a vida e a morte, o sono e a vigília —, tudo sem contornos nítidos, e um imenso alívio percorrendo seu corpo, a impressão de estar voando. De estar sendo arrancado dali, levado por um ser sobrenatural. Só em breves instantes ele emerge desse nada, e fica desapontado quando no dia seguinte acorda inteiramente consciente, num quarto de hospital, onde está cercado por sua família e coberto de gesso.

As pessoas comentam. Dizem que ele e Kenny estavam brincando de desafiar os carros. Isso é passado adiante como se fosse um fato e chega à mãe dele, que fica muito aborrecida. Ele só descobre isso mais tarde, e ao descobrir concorda em silêncio com as piores coisas que foram ditas, embora tenham lhe garantido que elas não são verdade. Ele nunca se lembra do que aconteceu, mas um homem da cidade vizinha é preso por dirigir com heroína e álcool no sangue. Ele nunca descobre o que aconteceu com esse homem.

Katherine vai ao hospital com os outros e lhe traz livros. Ele os lê — todos —, mas não lembra mais quais eram, com exceção daquele com uma história sobre crianças que entram num armário e saem num mundo de uma bondade infindável e de uma maldade terrível, de rainhas de gelo e leões. Esse ele jamais esquecerá. Como em tantos outros livros que ela lhe dá, esse tem uma porta mágica para ser atravessada — uma fonte de água corrente que encanta uma família e a torna imortal, um anel de ouro que transforma um hobbit comum na esperança de todo o bem do mundo, um armário que permite que crianças escapem de uma casa onde são infelizes —, um objeto comum que é um portal para um mundo repleto de maravilhas.

Como ele ainda não pode usar muletas, uma cama é colocada no que sua família chama de Sala dos Fundos. É uma sala de televisão no fim de um longo espaço aberto que se estende a partir da cozinha e da sala de jantar. A sala tem dois andares de altura e um mezanino cheio de livros e jogos cujo acesso é uma escada de madeira. Uma das paredes da Sala dos Fundos tem uma enorme janela que dá para um velho bordo cujos galhos batem no vidro e na lateral da casa. Atrás dela, o gramado. E atrás do gramado, o bosque. Os quartos da casa estão no segundo andar, longe dele, e à noite ele fica completamente sozinho. A árvore arranha a janela, estalos ecoam do bosque e uma luz vermelha pisca no detector de fumaça como uma espécie de pedrinha demoníaca. Ele lê cada vez mais nessa época. Esconde-se cada vez mais dentro de si mesmo e sente, naquela pequena cama no fundo da sala com uma imensa janela, que pode ser facilmente quebrado.

Amigos vêm passar a noite com ele, professores vêm lhe trazer lições de casa. Sua mãe faz as vezes de enfermeira e toma conta do gesso e da fisioterapia que ele precisa fazer todos os dias. Ela lhe traz comida, limpa seu rosto, e durante o dia, quando ela está por perto, ele se sente seguro. Uma parte dele deseja que esse tempo em casa com ela dure para sempre. Mais ou menos um mês depois, ele volta para a escola de muletas e, embora se sinta aliviado por poder se mover de novo, também se ressente um pouco por sua velha vida ter recomeçado, por não ter mais ninguém cuidando dele e mimando-o.

Mas antes de o menino ter voltado para casa, antes de ter ido embora do hospital, no primeiro dia da internação a enfermeira lhe traz um papagaio, onde ele deve fazer xixi. Ele está imobilizado, não consegue ir até o banheiro, e de repente vê aqueles ossos quebrados como algo bom, uma sorte. Uma forma de romper com a eterna rotina de se remexer, pular de um lado para o outro e se agoniar até a hora do alívio. O menino acabou de fazer treze anos, e abriu-se uma pequena fresta no que até então fora uma porta impossível de mover. Milagrosamente, surge a esperança. Ele faz xixi no papagaio e sente como se estivesse mijando milhares de cacos de vidro, mas suas mãos não voam para o pênis. Quando está no hospital, todas as vezes consegue urinar sem se tocar.

Um ano e meio depois, gordinho, sem pelos, bonito demais e muitas vezes confundido com uma menina, ele vai fazer intercâmbio na Austrália. Entre esse momento e a época que passou no hospital, ocorrem muitas situações triunfantes, em que ele se vê diante de um mictório fazendo xixi sem o velho ritual. Também ocorrem muitos retrocessos, ocasiões em que ele precisa se esconder num boxe do banheiro e lutar consigo mesmo por quase uma hora. Vai ser assim até que o feitiço que sempre permanecerá para ele um mistério começa a desaparecer. O processo se inicia quando ele ainda está na Austrália, quando os pelos finalmente surgem nas axilas e virilha, quando os músculos desabrocham gentilmente sob suas gorduras infantis e os centímetros acontecem, a altura acontece. Essas mudanças ocorrem de forma tão quieta e paulatina que ele não se dá conta delas até voltar para casa e logo ver que a energia a seu redor mudou, que as pessoas reagem a ele de outra forma. E, quando todas essas coisas pelas quais ele tanto rezou aparecem, seu velho inimigo se retira silenciosamente. Ele volta depois de seis meses na Austrália, e nunca mais, nem uma vez sequer, entra em pânico diante de uma privada.

Tudo vai ser esquecido; cada porta trancada, cada hora que ele passou angustiado nos banheiros, cada fuga para o bosque, onde ninguém podia vê-lo. Só aos vinte e seis anos ele vai se lembrar daquela luta. E, quando isso finalmente acontece, ele lembra de tudo.

Jamais haverá uma explicação para esse mal de sua infância. Nada além de teoria, uma mistura de psicologia e diagnóstico pediátrico, porém nada de concreto ou definitivo.

Katherine e ele saem, se beijam, namoram, não namoram, se evitam e têm reencontros dramáticos durante todo o ensino fundamental, o ensino médio, a faculdade, e depois dela. Ela irá para a Escócia, para uma ilustre universidade numa cidade muito antiga à beira-mar, e lerá a trilogia de um grande autor escocês sobre uma menina e sua família — sobre tudo — que citará com frequência. Depois de algum tempo, irá largar essa universidade e se deixar levar para Montana. Alguns anos mais tarde, ele também irá para uma universidade escocesa, que fica numa cidade muito antiga — mas essa é nas montanhas, nem de longe tão ilustre quanto a dela —, e lerá a mesma trilogia, e passará a vida toda citando-a. Namorados e um marido dela não vão deixar que ela o veja. Namoradas e namorados dele suspeitarão dela. Já adultos, os dois mantêm certa distância um do outro. Escrevem muitas cartas. Ele lê todos os livros que ela já amou. Carrega as opiniões e interpretações dela como se fossem suas até que, em dado momento, em dado momento após a Escócia, ele começa a encontrar livros sozinho e a ter, devagar, opiniões próprias. Ele se forma na faculdade dela, e ambos se dão conta disso, ela muito antes dele.

Mas antes que isso aconteça, nas férias de verão antes de ele ir para uma pequena faculdade na costa leste de Maryland, eles bebem uma garrafa de vinho caríssimo de um estojo que a mãe dele está guardando para uma amiga querida que enfrenta um doloroso divórcio. Eles acabam bebendo a garrafa de dois estojos, e anos depois descobrem que o vinho era caro mesmo. Eles bebem aquela primeira garrafa de vinho perfeita, com um grifo no rótulo, sentados no topo de uma montanha chamada Indian. Ela joga pedrinhas no short dele, até deixar claro que quer que ele o tire. Ela também tira seu short, e ele faz a coisa que jamais fizera antes, mas que ela já tinha feito. É um milagre que aquilo esteja acontecendo, mas o fato de ainda por cima ser com ela torna o ato mágico, destinado a ocorrer, mas também um pouco parecido com incesto. Durante anos, ele achará que isso aconteceu num campo de propriedade de seu pai, certa noite a caminho de uma peça de teatro. Mas será a lembrança dela, a história dela, que eles concordarão em guardar.

No norte de Manhattan

"Como ele pode estar aqui? Como?" Espio pelo olho mágico diversas vezes, sempre torcendo para que a alucinação de Noah do outro lado da porta tenha desaparecido e que não haja ninguém no corredor. Mas cada vez que eu olho ele está lá. E não está sozinho. Há um grandalhão com um casaco bege pesado atrás dele. Está falando num celular, e tenho certeza de que é um policial civil ou federal.

"Está tudo bem, nos deixe entrar", pede Noah. "Não se preocupe, estamos aqui para ajudar você."

Jesse, o cara que está na cama, fica tenso e pergunta o que está acontecendo. Aos sussurros, digo que ele precisa se vestir o mais rápido possível, pois é o meu namorado. Num instante ele está de pé, vestindo todas as roupas em poucos segundos. Jesse vai na direção da porta e eu lhe peço que espere. Com os olhos arregalados e parecendo assustado, ele diz rispidamente "Só vou esperar um segundo, não vou ficar aqui de bobeira". No mesmo instante, pego o cinzeiro na mesa de cabeceira e jogo todo o crack que resta num saco plástico e, junto com o cachimbo que sobrou, enfio dentro do bolso da minha jaqueta que está no armário. Pego um pano e limpo desajeitadamente as migalhas e o resíduo da cabeceira, examinando o quarto para ver se sobrou mais alguma prova do que estava acontecendo ali. Jesse está caminhando para a porta no momento em que pego meu suéter e meu jeans no chão.

Jesse abre a porta, nem olha para trás, e passa por Noah e pelo homem de casaco bege, empurrando-os. Eu estou sentado na cama quando Noah entra no quarto. "Vamos embora", diz ele, sem sequer mencionar o homem que acabou de fugir.

O homem de casaco bege, que se chama John, me diz que trabalhava na Divisão de Controle de Produtos Químicos, e que pediu um favor deles e descobriu que há um arquivo sobre mim *na divisão*. Noah me conta que a polícia foi ao nosso prédio querendo me interrogar. Meu nome foi citado por alguém que foi pego com drogas. "Mark?", eu me pergunto. "Stephen?" Meu coração, que já estava batendo forte, começa a pular com esse novo temor. "Vão me prender", penso, olhando para John, que é igualzinho aos Penneys.

"Onde você conheceu esse cara?", eu pergunto a Noah. Tenho certeza de que ele mentiu para Noah sobre sua identidade e que quer o nosso mal. Noah diz que ele foi recomendado por um advogado e eu pergunto qual. Não reconheço o nome e, quanto mais olho para John, mais acho que ele enredou Noah numa armadilha complicada para me levar para a cadeia.

"A gente precisa ir embora", diz John. "Temos que tirar você daqui."

Eu levo mais de uma hora para me aprontar, e mesmo assim tenho a sensação de que estamos saindo correndo. Peço privacidade e dou duas tragadas enormes no banheiro. Deixo o cachimbo esfriar e coloco-o no bolso da minha jaqueta já com o crack dentro, assim poderei fumar imediatamente se conseguir escapulir para dar outra tragada mais tarde. O crack espanta um pouco do medo imediato e eu lavo o rosto e as mãos e passo os dedos pelos cabelos. Visto o suéter de gola rulê, percebo que o banheiro está cheio de fumaça e ligo o exaustor. Noah bate na porta e eu lhe peço que espere um instante. O medo volta enquanto a fumaça vai saindo pelo duto de ventilação. Sento na privada, dou uma tragada profunda no cachimbo e rezo por um enfarte.

Saímos do hotel sem nem fazer o check-out e entramos num táxi na rua Gansevoort. John me diz que eu tenho sorte de ainda não ter sido preso. Olho para o taxista e para a foto escondida no painel de acrílico logo atrás dele. "Meu Deus", penso, "é claro." Explico a Noah que praticamente todos os táxis que peguei nas últimas semanas tinham um pedaço de papelão em cima da foto da carteira do motorista. Que eu suspeito que os taxistas sejam policiais disfarçados ou agentes de algum tipo. Tento contar a ele sobre os taxistas e os Penneys, e dizer que aquele tal de John é um deles, assim como o motorista daquele táxi, e que ele não sabe o que fez comigo me entregando a eles daquela maneira. "Você não sabe", sussurro desesperadamente enquanto ele me dá tapinhas na mão.

Tateio o cachimbo no meu bolso e sei que tem crack ali para pelo menos mais algumas tragadas. Também penso que aquela quantidade provavelmente é suficiente para que eu seja acusado de tráfico, e logo começo a me preocupar com onde vou enfiar tudo se achar que eles estão me levando para uma delegacia. Aí me lembro que o taxista é um policial e, enquanto vejo a cidade passar pela janela, começo a tremer de pânico.

Noah me enlaça e diz que estamos a caminho de um local seguro onde poderemos conversar. Eu pergunto onde é, e ele e John fazem um sinal um para o outro. Eles não parecem saber para onde temos de ir, por isso pergunto se podemos parar para comer alguma coisa. O que quero dizer, embora não diga, é parar para beber alguma coisa. Preciso de álcool no organismo para me acalmar.

Acabamos nas ruas na casa dos setenta que cruzam a Terceira Avenida e encontramos um restaurante chinês com um salão que fica abaixo do nível da rua e que está quase vazio. Eu imediatamente digo que preciso ir ao banheiro e dou uma longa tragada no cachimbo. Após alguns instantes, imagino ouvir do outro lado da porta uma conversa escancarada sobre "quando levá-lo para lá". Continuo tragando. O cachimbo ferve na minha mão e para esfriá-lo eu molho suas extremidades na água.

Quando volto para a mesa, peço que a garçonete me traga uma vodca. Ela diz que eles só têm vinho e cerveja, portanto peço uma garrafa de vinho branco gelado. Noah começa a reclamar, mas John se volta para a garçonete e diz que tudo bem. O vinho chega à mesa e eu o bebo como se fosse água. Peço algum tipo de comida, porém nem toco nela.

John explica que eu preciso me internar imediatamente na ala psiquiátrica de um hospital se não quiser ser preso. Noah assente enquanto ele diz isso, e eu não sei bem em que acreditar. John conta que conhece e trabalha com um psiquiatra que conseguiu um lugar na ala psiquiátrica do hospital New York-Presbyterian. Ao ouvir essas palavras, penso em lençóis brancos, enfermeiras bondosas e portas trancadas e, pela primeira vez desde que Noah e John apareceram no hotel, me sinto aliviado. Sei que lá vou poder dormir bastante e que eles vão dar drogas para me acalmar. Sem pensar mais, concordo em ir conversar com o psiquiatra.

A alguns quarteirões dali, entramos num prédio que parece ser uma escola de ensino fundamental abandonada. Atravessamos largos corredores vazios e chegamos a uma porta saída de um filme de detetive dos anos 1940 — vidro fosco, letras em estêncil. Mais uma vez, me sobe a sensação amarga como bile de que John preparou uma elaborada armadilha para me prender. O vinho tinha acalmado meu pânico, mas ele está de volta agora, com grande intensidade. Uma mulher de cabelo encaracolado, calça jeans e blusa de caxemira vem abrir a porta e cumprimenta John com um largo sorriso. "Policial disfarçada", penso instantaneamente. Ela dá um aperto carinhoso no meu braço e pede que a sigamos. "Ele está terminando uma consulta", diz ela sobre o ombro enquanto nos conduz através de um cômodo cheio de escrivaninhas vazias e em direção a uma sala de canto.

Pergunto se tem um banheiro ali e a mulher se oferece para me mostrar onde fica antes que John e Noah possam dizer qualquer coisa. Volto com ela pelo corredor até uma porta onde está escrito "Homens". O banheiro está vazio e, assim que entro, abro a torneira da pia e corro para um dos boxes. O cachimbo ainda está cheio de crack, então, assim que encontro o isqueiro dou uma tragada, inalo toda a fumaça que cabe nos pulmões, seguro-a lá o máximo de tempo que consigo e sopro aquela nuvem espessa pela janela aberta próxima ao boxe. A luz que vem de fora deixa pintinhas no chão de azulejos pretos e brancos, e por um instante esqueço todas as pessoas que estão me esperando. Alguém bate na porta do banheiro e abre. É Noah.

"Tudo bem?", pergunta, e seu rosto mostra que ele sentiu o cheiro de fumaça ali dentro. "Você estava se drogando?", Noah indaga, e eu respondo: "Não, vamos". Ele me abraça e diz que está muito aliviado por eu estar vivo, e sinto vontade de me atirar em seus braços e deixá-lo acabar com toda aquela miséria, mas suspeito que ele só está se aproximando de mim para tatear minha jaqueta e minha calça e tentar encontrar o cachimbo e o isqueiro. Desvencilho-me de Noah e volto para o corredor.

O psiquiatra parece saído dos anos 1980. Camisa de listras vermelhas e brancas, suspensórios, imensos óculos com armação de metal, calça de veludo cotelê largo, meias amarelas e mocassins com borlas. Seu cabelo é encaracolado, e o meio sorriso que me dá me faz achar que ele também já usou uma quantidade razoável de drogas na vida. O psiquiatra me diz que há um leito disponível no hospital, mas que logo será ocupado por outra pessoa se eu não for para lá. Faz um sinal para que Noah e John saiam do consultório, e nós dois ficamos cara a cara por algum tempo, sem dizer nada. "Você está drogado?", pergunta o psiquiatra, e eu digo que estou. "Que bom", diz ele, "aproveite enquanto pode." Pergunta o que eu faço, fala dos livros de que gosta e então põe um basta na consulta, dizendo: "É pegar ou largar".

"Vou largar", decido, me levantando da cadeira. John e Noah pulam quando eu abro a porta e perguntam o que houve. Digo que para mim chega e que estou indo embora. John me diz que eu devo ser preso até o fim do dia. Seu tom é duro, e nesse momento ele me parece preocupado de verdade. Eu me remexo sem sair do lugar, pois não sei o que fazer. Estou em pânico, mas ainda tenho dinheiro na minha conta, e acho que se conseguir uma pilha de remédios para dormir e um galão de vodca, poderei continuar assim por mais alguns dias e depois acabar com tudo. Estou na sala de espera de um psiquiatra, rodeado por pessoas que, com exceção de Noah, eu não conheço, e começo a cambalear por causa das muitas noites não dormidas, das tragadas que acabei de dar no banheiro e do vinho que bebi há pouco. Fico tonto com toda aquela conversa sobre policiais indo ao meu apartamento, arquivos sobre mim na Divisão de Controle de Produtos Químicos, uma prisão iminente. Sinto-me paralisado. Fico ali parado, sem ter ideia do que fazer. Quero correr. Quero desmaiar. Não quero ser preso. Quero que Noah me abrace. Quero me drogar e esquecer tudo isso. Quero que todo mundo me esqueça.

John finalmente diz: "Por que você não espera um pouco? Vamos com calma. Eu conheço um cara no hotel Carlyle, a alguns quarteirões daqui, que pode conseguir um quarto seguro para você descansar e pensar no que fazer. Vamos todos nos acalmar, vamos levar você para um lugar seguro". Um lugar seguro me soa bem e, pela primeira vez no dia, confio em John, tenho a sensação de que ele é mesmo quem diz ser e que só está tentando me impedir de sair pela cidade e acabar sendo preso. Concordo em fazer o que ele sugere.

Em menos de uma hora, me vejo dentro de um quarto grande e antiquado no hotel Carlyle com Brian, o colega de John. Brian não fala muito, é alto e tem vinte e tantos anos. John pede que Noah vá descansar em casa e afirma que nós todos nos reencontraremos na manhã seguinte. Há preocupação nos olhos de Noah quando ele se levanta da cama onde estava sentado. "Ligue para mim se precisar de alguma coisa", diz, inclinando-se para me dar um abraço. Eu o aperto de leve, com o corpo afastado, tomando o cuidado de não deixar que suas mãos toquem o bolso da minha jaqueta, onde estão o cachimbo e o isqueiro. No segundo em que Noah e John vão embora, fico aliviado. Vou até o telefone, chamo o serviço de quarto e peço uma garrafa grande de Ketel One e um balde de gelo. Minha onda está passando e eu preciso de vodca. Brian não diz nada, fica sentado numa cadeira me observando em silêncio.

A vodca chega imediatamente, coloco um monte de gelo num copo grande e o encho até a borda. Pergunto a Brian se ele quer um pouco e ele ri e diz: "Não, obrigado". Bebo dois drinques rapidamente e me sirvo de um terceiro. Digo a Brian que preciso tomar um banho e ele diz que tudo bem. Levo o drinque para dentro do banheiro, tranco a porta e ligo o chuveiro. O banheiro é minúsculo e não tem exaustor. Mas há uma janelinha quadrada em cima do chuveiro e logo estou lá dentro, nu, fumando o que acho que vai ser uma tragada pequena, mas que acaba rendendo duas ou três boas tragadas. Arrependo-me de não ter levado a garrafa de vodca para o banheiro. Fumo, sopro a fumaça pela janelinha que dá num poço de ventilação, deixo o vapor da água quente subir e, após algum tempo, me sinto descontraído. Brian vem até a porta uma vez e pergunta se estou bem. Respondo que "Só estou relaxando no chuveiro". Alguns minutos se passam e, assim como no banheiro do consultório do psiquiatra, o pânico que senti naquele dia se esvanece. Decido guardar um pouco no cachimbo para mais tarde e começo a me enxugar. Estou vibrando de energia boa, e a vodca equilibrou o lado nervoso da onda do crack. "Foda-se", penso, e saio para o quarto vestindo apenas a toalha, amarrada bem baixo na cintura. Ponho o casaco e o jeans do lado da cama e coloco a vodca e o balde de gelo na cabeceira. Sirvo-me de mais um drinque, encontro o controle remoto e deito.

Brian, que agora eu percebo ter cabelos encaracolados, olhos verdes e uma barba por fazer que me faz lembrar de Noah, não parece nem um pouco perturbado enquanto eu troco de canal e bebo a vodca. Faço algumas perguntas sobre o trabalho dele (que basicamente é arrancar atletas profissionais e celebridades de quartos de hotel e levá-los para um centro de reabilitação qualquer), sobre o que ele fazia antes (era policial), e descubro que ele tem uma namorada (uma menina legal, que é enfermeira) e uma casinha numa cidadezinha do interior do estado, para onde vai nos fins de semana. Abaixo um pouco mais a toalha e pergunto se ele se importa de eu assistir a uns filmes pornôs. Ele diz "Vá em frente", eu encontro o pay-per-view e aperto play. Brian fica ali sentado por alguns minutos, ri das minhas ridículas tentativas de seduzi-lo e diz que precisa ir dar um telefonema.

Quando ele sai do quarto, me dou conta de que posso pedir que Happy me encontre ali e me venda um ou dois saquinhos. Preciso tirar dinheiro, mas deixo para me preocupar com isso depois. Pego o celular no casaco e digito o número de Happy o mais rápido possível. Ele atende, eu digo "Trezentos dólares e dois cachimbos", dou o nome do hotel, o endereço, e peço que ele me ligue quando estiver lá embaixo. Happy reage com muita naturalidade, e eu me pergunto se ele já entregou ali. Após desligar, começo a andar de um lado para o outro no quarto, temendo que Brian volte. "É agora ou nunca", penso ou digo em voz alta, e rapidamente me visto, saio do quarto, entro no elevador e vou para o saguão do hotel. Sei que só tenho alguns minutos para pegar dinheiro e voltar para o quarto antes que Brian retorne. Ainda não imagino como vou trocar o dinheiro pelo crack que Happy vai trazer. Quando as portas do elevador se abrem, sinto uma onda de pânico subir pelo peito e se espalhar pela garganta. Acho que Brian deve estar em algum lugar do saguão e vai acabar me vendo com certeza. Vou ao Bemelmans Bar e subo um lance de escada até o banheiro. Ele está vazio e eu me atiro num boxe e acendo o cachimbo, que está negro de tanto ser usado e cujo crack finalmente está acabando. Mesmo assim, consigo dar uma tragada decente, enquanto decido que vou enrolar o cachimbo de vidro em papel higiênico, quebrá-lo e jogá-lo na privada. Dou mais uma tragada oleosa com gosto de queimado antes de esmagar o cachimbo com o sapato e atirá-lo no vaso.

Os bares escuros e os diversos antessaguões do Carlyle são um labirinto complicado, e eu passo diversas vezes por uma sala de estar perto de uma série de telefones públicos sem conseguir achar a saída. Esse processo dura algum tempo, e meu pânico vai aumentando. Afinal, saio na avenida Madison e pergunto a uma mulher bem-vestida se ela sabe onde posso encontrar um caixa eletrônico. Temo que a mulher vá achar que eu quero assaltá-la ou que vá perceber que estou drogado, mas ela aponta com ar distraído para um Banco Chase do outro lado da rua. Tiro oitocentos dólares e corro de volta para o quarto.

Brian ainda não voltou quando Happy me liga e eu, sem saber o que mais fazer, e odiando a ideia de sair do quarto de novo, digo a ele para subir, explicando que vamos ter que ser rápidos. Um minuto depois, ele está no pequeno vestíbulo do quarto — calça de moletom branca, imensos fones de ouvidos, nenhuma palavra —, e, embora eu tenha pedido trezentos dólares, pergunto se ele pode me vender seiscentos. Happy diz que tem quatrocentos e me entrega oito saquinhos e dois cachimbos.

A onda de alívio que me percorre quando fecho a porta é quase tão grande quanto a tragada que dou no cachimbo novinho em folha. Enfio o cachimbo e os saquinhos restantes no bolso do casaco, tiro a roupa, amarro a toalha na cintura, volto para a cama e me sirvo de mais um drinque. Quando Brian volta, estou fumando abertamente e há um filme pornô passando na televisão. "Você comprou crack, não foi?", pergunta ele, e eu faço que sim com a cabeça e dou um sorriso perverso. "Tem alguma ideia de quão perto você está de ser preso?", Brian pergunta, e eu peço que ele relaxe. Digo que tenho só mais uma noite de liberdade e prometo ficar ali se ele me deixar em paz e parar de falar em alas psiquiátricas e em policiais. Ele concorda e se senta na cadeira ao lado da cômoda.

Bebo dois litros de vodca e fumo quase três saquinhos de crack deitado naquela cama, enquanto converso com Brian e assisto a filmes pornôs. Desvio o rumo da conversa para a namorada dele, sexo e filmes pornôs e, ao longo de horas, ele consegue continuar a papear comigo sem falar nenhuma baixaria. Algumas lembranças são mais humilhantes que outras, e essa é uma das piores.

No início da manhã, Brian adormece. Eu levanto devagarzinho da cama, visto minhas roupas, pego meus poucos pertences — celular, cachimbo, crack, isqueiro — e saio pé ante pé do quarto, atravessando o corredor e escapando dali.

Vento idiota

É uma pequena faculdade na costa leste de Maryland, e nós quatro alugamos uma casa que fica a uns vinte minutos do campus, na baía de Chesapeake. É uma casa azul de dois andares com painéis de alumínio protegendo as paredes externas e um deque atrás, e para nós é o paraíso. Ian tem cabelos negros e olhos esbugalhados, foi o terror de seu colégio interno e nasceu em Memphis; Brooks, meu colega de quarto no dormitório, é de Maryland e faz o estilo Cary Grant — branco, de família rica e tradicional, estranhamente antiquado, amigo de todos e inimigo de ninguém; e Jake, um pacifista de olhos azuis e cabelos louros encaracolados que trabalha como barman nas férias e toca gaita numa banda de Baltimore chamada The Moonshiners.

Temos sempre um barril de chope na varanda dos fundos e pilhas de costeletas de cordeiro e dos melhores cortes de carne na geladeira que roubamos do mercadinho na cidade vizinha. Os roubos começam numa tarde em que eu e Ian estamos passando pela seção de carnes. Ele se detém, aponta para os pacotes fechados de costeletas de cordeiro e sussurra: "Billy, abra o bolso das costas do meu casaco e enfie duas ou três belezuras dessas aí dentro". Ian faz uma careta para indicar que eu preciso andar logo, seus olhos quase saltam das órbitas, ele implora daquele seu jeito, "Meu Deus, Billy, vamos nessa, o que você está fazeeendo?", e, embora eu tenha certeza de que vamos ser flagrados, abro o casaco, pego o cordeiro e coloco lá dentro. Ele está usando um casaco de neve caro com um bolso imenso com zíper nas costas. As costeletas ficam na vertical lá dentro e, quando eu e Ian andamos pela loja e passamos pelo caixa, não há nenhum sinal de que ele esteja levando nosso jantar nas costas. Desse dia em diante, nunca mais pagamos por carne. Quando vamos fazer compras, levamos o casaco de Ian.

Eu leio durante o dia, quando estou matando aula — principalmente Thomas Hardy e F. Scott Fitzgerald, *Judas, o obscuro* algumas vezes. Nos fins de semana, leio em meu quarto, que fica no fim do corredor, escondido da algazarra da casa. Não há ninguém na faculdade ou na casa com quem eu converse sobre o que leio. Releio J. D. Salinger, John Knowles e os livros da minha adolescência. Alguns desses exemplares ainda têm as anotações de Katherine nas margens, e eu os trato como se fossem peças de museu.

De vez em quando alguém cheira cocaína ou toma ácido, mas basicamente a gente só fuma maconha sem parar. Ian tem um *bong* vermelho da Graphics que ele limpa o tempo todo e acaricia como se fosse um bichinho de estimação. Eu sempre tenho erva no quarto. Fumo num *bong* pequeno de plástico, ouço Ricky Lee Jones e Bob Dylan e, quando não estou lendo, simplesmente observo a tapeçaria escarlate e marrom que prendi no teto com tachinhas. Nós fazemos viagens por toda a Costa Atlântica — Filadélfia, Baltimore, Washington, Roanoke, Boston, Nova York — para ver shows do Grateful Dead, do Bob Dylan, do Neil Young. Quase sempre vamos eu e Ian, e quase sempre é para ver shows do Dylan.

Brooks é o único que tem namorada firme, Shirley, que faz faculdade na Virgínia. Eu saio com duas ou três meninas regularmente — Ian faz caretas de nojo para todas. "Meu Deus, Billy, o que você está fazeeendo?", diz ele no fim da noite, quando já está claro quem vai comigo para o meu quarto. Jake sai com umas meninas de Baltimore ou de Nova York que não fazem faculdade. Nunca chegamos a conhecê-las. Ian vai ficar só com uma menina, que eu saiba — eu já havia ficado com essa menina algumas vezes e tinha dito a Ian que estava apaixonado por ela —, e isso vai acontecer no banco de trás de um carro quando estamos voltando de Boston, comigo e Brooks na frente. Nós vemos a coisa toda. Fico furioso, mas Ian diz que estava dormindo e que não sabia que a menina estava chegando nele.

Uma noite, Jake vai tirar dinheiro de um caixa eletrônico e vê que, por sorte, o banco cometeu um erro. O erro rende uma soma que nos faz achar ser uma boa ideia comprar um novo barril de chope e convidar algumas pessoas para ir em casa. Fazemos isso, bebemos o chope, vai ficando tarde e alguém percebe que Brooks está no campus, e não conosco. Decidimos ir procurá-lo. Ian dirige, eu vou no banco do passageiro e Jake atrás. Paramos no Newt's, uma espelunca sombria com várias promoções para atrair universitários. Cerveja a cinquenta centavos para fazer com que eles decidam ir para lá encher a cara, o que os leva, depois, a começar a beber algo mais forte. E é o que fazemos. Tequila. Ian está sempre bebendo muito mais do que nós todos, mas Jake e eu ficamos ansiosos para manter o ritmo. Depois que o bar fecha, arrumamos os banquinhos e as cadeiras e ganhamos algumas doses grátis. Estamos todos igualmente acesos, temos o mesmo cometa incandescente dentro de nós e concordamos que a melhor ideia é ir para um dos dormitórios femininos. Encontrar Brooks. Arrastá-lo para casa. Então nós vamos. Ian coloca a música "Idiot wind" para tocar a todo o volume no carro e canta berrando: "Você é um idiooota, amor, não entendo como ainda sabe respirar". Enquanto grita, ele se balança para a frente e para trás diante do volante e seus cabelos negros e olhos vermelhos brilham como os de um demônio à luz verde do painel do Volkswagen.

Já são pelo menos duas da manhã quando saímos do carro. Estamos completamente bêbados de tequila e há uma energia instável zunindo dentro de nós. Nossa respiração forma nuvens trêmulas no ar gelado de março, e vamos do carro ao dormitório como um monstro de três cabeças determinado a fazer baderna. Atravessamos os corredores na ponta dos pés, e Ian encontra um extintor de incêndio para levar consigo. Ele finge que vai espirrar em nós e, em dado momento, o extintor acaba abrindo. Gloriosos jatos de espuma branca jorram do tubo vermelho e aquilo é, naquele instante, a coisa mais extraordinária que já vimos. Ian aponta sua nova arma na direção oposta, espreme o gatilho e, mais uma vez, um milagre majestoso desabrocha em câmera lenta no corredor. Jake e eu precisamos ter extintores também, e por isso corremos lá para cima a fim de procurar mais dois. Jake encontra um, mas eu não. Ele e Ian começam a espirrar espuma um no outro, nas portas, no chão, numa menina que está dormindo. Nós nos separamos, mas temos a sensação de que ainda estamos ligados por um fio elétrico e invisível, e que basta gritar para nos reunirmos.

Entro numa área coletiva, onde alguém deixou uma colcha quase terminada: quadrados de tecido azuis e vermelhos costurados, formando um mosaico legal. Aquilo me lembra minha mãe e a colcha que ela me fez com pedaços de tecidos velhos quando eu estava no ensino médio. Sem pensar, pego a colcha e corro para o corredor. Neste momento ouço Ian gritando meu nome. "Billyyyyy, vamos embora, Billyyyyy!" De vez em quando, ele berra o nome de Jake. "Jake! Vamos nessa! Jake, vamos!" Volto para onde estávamos. De repente, nós três damos de cara uns com os outros, e quando isso acontece vejo meninas saindo dos quartos aos gritos. Corremos para a saída. Alguém — um de nós? Uma das meninas? — faz soar o alarme de incêndio e quase imediatamente ouvimos uma sirene. O carro está estacionado atrás de um banco, e atravessamos a toda o estacionamento lateral do dormitório e o quintal da casa de alguém. Ian está em estado de alerta e nos empurra para o chão atrás de uma sebe, sussurrando freneticamente que precisamos "Calar a boca, porra".

É o que fazemos. O alarme de incêndio e as sirenes da polícia e dos bombeiros ressoam pela cidade, enquanto luzes azuis e vermelhas passam por nós como raios. Agora já são entre três e quatro da manhã, e todo o campus e a vizinhança que o rodeia estão acordados. Luzes se acendem nos dormitórios e casas ali ao lado, as pessoas abrem as cortinas e enfiam a cabeça para fora para ver o que está acontecendo. Ficamos ali por pelo menos uma hora, até que, quando as coisas parecem ter se acalmado, nos dirigimos furtivamente para o carro de Ian e voltamos para casa. Brooks está lá, e já recebeu telefonemas de todo mundo que nos conhece e que ouviu Ian gritando nosso nome.

Quando estamos andando em direção à porta da frente, Brooks me olha horrorizado e pergunta: "Que merda é essa?". Eu olho para baixo e morro de vergonha ao perceber que passei o tempo todo segurando a colcha quase terminada. Tenho tanto medo de que a polícia apareça a qualquer momento, que a enfio num saco de lixo preto e meto-o debaixo da casa vazia vizinha à nossa.

Passamos essa noite em claro, fumando maconha, nos preocupando e esperando pelo telefonema da universidade, que acaba vindo. Um dia depois, somos expulsos. Jake nunca volta. Ian e eu planejamos entrar na Universidade de Colorado em Boulder no outono seguinte. Brooks se muda para uma casa na cidade com amigos e termina o semestre letivo.

Nessa primavera, vou a Bedford, Nova York, algumas vezes para visitar Ian. A mãe dele se mudou de Nova Orleans para lá quando se divorciou do pai de Ian. Estou fazendo paisagismo com um amigo na área noroeste do estado e Ian trabalha numa pequena *delicatéssen* na vizinhança de Old Greenwich. Sua mãe está sempre na rua e seu irmão Sam está na oitava série e passa a maior parte do tempo em casa. Ian em geral consegue comprar cocaína de um amigo em Rye. Fumamos maconha e jogamos *frisbee* à tarde, e à noite cheiramos pó, bebemos cerveja da boa e jogamos tampinha — um jogo em que duas pessoas sentam uma em cada lado de um cômodo e ficam atirando tampinhas de garrafa de cerveja em copos de papelão vazios colocados entre as pernas de quem está à sua frente até seus polegares começarem a sangrar de tanto pressionarem as bordas denteadas de metal.

Num fim de semana em Bedford, a gente bebe tanta cerveja Guinness e fuma tanta maconha que, quando a cocaína chega, eu já vomitei. Passamos o sábado inteiro e quase toda a noite de domingo acordados, e na segunda combinei de ir a Manhattan encontrar Miho, uma estudante japonesa que morou com a minha família na época em que fez intercâmbio. Ela vai passar o dia em Nova York, e minha mãe me pediu, e eu concordei, em lhe mostrar a cidade.

O meio-dia de segunda-feira parece a vida de uma outra encarnação enquanto escutamos Bob Dylan e cheiramos carreira atrás de carreira na mesa do café da manhã da cozinha de Ian. O pó acaba lá pelas cinco da manhã da segunda, e a gente toma remédios para dormir com mais algumas cervejas; às oito acordo, sentindo de repente que há algo errado. Levo um ou dois minutos para perceber que não só mijei e caguei na cama como também me vomitei todo. A mãe de Ian vai voltar para casa naquele dia. Minha cabeça está latejando e morro de medo de Ian descobrir. Saio devagar da cama, tiro a cueca e a camiseta imundas, e vou ao banheiro limpar boa parte daquela nojeira. Tomo um banho e então, lençol por lençol, fronha por fronha, desfaço a cama e coloco as roupas que usei na noite anterior, que estão fedendo a maconha e cobertas de manchas de cerveja. Viro o colchão, que ficou manchado, pego a cueca, a camiseta e os lençóis sujos e vou o mais silenciosamente possível para o corredor. Desço a escada e chego ao porão, onde por alguma razão sei que há uma lavadora e uma secadora. Tiro as roupas que estão na lavadora, coloco-as numa cesta e ponho aquela trouxa horrível lá dentro.

Aperto todos os botões, abro o sabão em pó, fecho a porta da lavadora com um som que parece um tiro de rifle, e tenho certeza de que Ian vai descer a escada pisando duro e berrar sua costumeira pergunta: "O que você está fazeeeeendo?". Ian conseguia carregar essa frase com um infinito de nojo e desprezo. O cara amava Bob Dylan, achava que todos os outros músicos eram uma fraude, detestava o estado de Maryland, detestava qualquer mulher ou menina gorda, e detestava quase tudo que não fosse de Louisiana. Sou amigo dele, mas, em geral, sinto que esse frágil status pode ser revogado por algo tão trivial quanto gostar de uma banda errada ou cagar numa cama.

Não quero fazer mais barulho na escada, por isso fico sentado ali enquanto as roupas são lavadas e secas. Quando já são quase onze horas, elas finalmente secam. Eu arrumo a cama, junto minhas coisas e chamo um táxi. Acordo Ian para me despedir e ele diz: "Meu Deeeus, Billy, você está com uma cara de merda".

Essa é a última vez que vejo Ian. Ele não consegue entrar em Boulder. Eu consigo, porém meu pai insiste que eu volte para Maryland e enfrente o desastre que ocorreu lá, e eu obedeço. Brooks e eu seremos colegas de quarto até eu me formar, e Jake voltará para Baltimore, onde trabalhará de barman e tocará guitarra, o que eu acho que ele ainda deve estar fazendo até hoje.

Chego uma hora atrasado no Rockefeller Center para encontrar Miho. Minhas roupas estão fedendo e o boné preto de Aspen que tenho na cabeça — que pertence a Ian e que eu costumava usar quase todos os dias nessa época — está coberto de poeira e de detritos de todo tipo desde a noite passada. Uma bile vem me subindo até o fundo da garganta, e eu já tinha vomitado duas vezes no trem.

Miho está impecável, e parece irritada. Ela veste um terninho amarelo estilo Chanel, escarpins vermelhos e uma blusa tão branca que não consigo encará-la sem estreitar os olhos. Miho tem dezenove anos, mas parece uma executiva experiente ou uma âncora de televisão de trinta e tantos anos. Ela me olha desconfiada e pergunta se eu estou bem. Digo que estou mais ou menos e pergunto aonde ela quer ir. Eu devia ter adivinhado: Saks Fifth Avenue, Tiffany, Cartier, Bergdorf, Bonwit Teller, Gucci. Passamos o dia indo a lugares onde os seguranças ficam de olho em mim. É um dos dias mais insuportáveis da minha vida, e eu vou entrando em várias lojas de conveniência pelo caminho para comprar aspirina e água.

A cidade parece um desenho animado no qual entrei devido a um grande acidente cósmico. Os seguranças são os únicos que me notam; para todas as demais pessoas, sou invisível. O short rasgado, o cinto de tecido em estilo asteca, a camiseta da estação de esqui Snowbird e o boné de Aspen (dois lugares onde jamais estive) pertencem a um mundo inteiramente diferente, e eu nem sequer me sinto confortável com eles. As pessoas parecem tão seguras de si, tão estáveis em suas vidas enquanto marcham para cima e para baixo da Quinta Avenida e da avenida Madison. Algumas não parecem ser tão mais velhas assim do que eu, mas são feitas de uma matéria e moldadas por uma força que eu nem consigo imaginar. Mais tarde, vou lembrar com frequência dessas pessoas, e para mim elas serão como essa cidade: douradas, mágicas, assombrosas.

Passo três anos sem voltar a Nova York. Só retorno depois de me formar na faculdade, com minha namorada Marie, nove anos mais velha que eu. Ela marca um encontro com um amigo seu que trabalha numa editora — uma das poucas que conheço, pois é a que edita os livros de J. D. Salinger e Emily Dickinson que leio sem parar. Eu resisto, mas Marie insiste que eu tente ser editor, pois acredita que esse é o meu lugar. Brinco de acreditar na fantasia dela durante algum tempo, porém sinto-me como se tivesse cinco ou seis anos e estivesse conversando com os meninos maiores na praia sobre pular do trampolim mais alto: é divertido fingir que consigo, mas impossível de executar.

O local da reunião fica a um quarteirão do Rockefeller Center. O editor examina meu currículo — aquele que Marie me ajudou a digitar — e franze o cenho. Aponta para os assistentes que trabalham no andar de seu escritório e me explica que a maioria se formou em universidades da Ivy League, sendo que alguns também têm pós-graduação desses lugares, e que minha carreira acadêmica e experiência profissional estão distantes do necessário para obter um emprego numa editora como aquela. É exatamente o que eu receava, e fico repugnado de vergonha. Marie está me esperando perto da pista de patinação no gelo "onde eles acendem as luzes daquela enorme árvore de Natal todo ano", penso. Eu minto, digo que o editor foi encorajador, que ele acha que talvez apareça uma vaga lá mais tarde, mas que agora não há nada. Ela diz: "Viu, eu falei", e eu concordo.

Mais tarde, quando vamos tomar café e buscar alguma coisa para a mãe dela na loja Brooks Brothers, de novo noto os seguranças, assim como notara anos antes com Miho, e acredito que eles podem ver aquilo que eu sei, mas que Marie não enxerga: que esse não é o meu lugar. É o lugar de um tipo de gente mais fina, mais inteligente, mais bem-educada e simplesmente melhor como um todo. Nessa tarde, entro no trem na Grand Central Station pensando a mesma coisa que pensei naquele dia de ressaca há três anos: "Esta é a última vez". E: "E se não for?".

Princípios do fim

A primeira vez que ele ingere álcool, bebe o preferido de seu pai — uísque — direto da garrafa, no bosque, com Kenny. Eles têm doze anos. É outono, as folhas ao redor deles estão tingidas de cores vivas e por todo canto há um aroma doce de vegetais em decomposição, de frutas podres. Eles roubam uma garrafa do armário de bebidas e correm pela trilha com um maço de cigarros de sua mãe e um calendário da *Playboy* que Kenny roubou da farmácia na cidade vizinha.

O gosto é ruim, mas ele adora, adora o estranho calor em seu peito e a ardência em sua garganta. Bebe só três ou quatro goles, mas é o suficiente para deixá-lo zonzo. O suficiente para que coloque um pé num lugar com pouca nitidez e muita alegria. Um lugar para onde ele não precisa se levar. E ele também gosta de todo aquele esquema maquiavélico. Gosta de se esconder no bosque. Gosta dos planos secretos, dos gestos furtivos. Da intimidade que um crime compartilhado traz. Eles dão risadinhas, como sempre fazem. Kenny desiste depois do primeiro gole, estremecendo de horror com aquele gosto. Eles mal chegam a fumar um cigarro inteiro, e mais caçoam do que admiram as meninas nuas do calendário. Farão isso juntos só mais algumas vezes. Mas é assim que ele começa a roubar o armário de bebidas de seu pai. Ele levará o álcool para seu quarto em vez de para o bosque, colocando-o numa garrafa térmica com listras vermelhas e laranjas e bebericando-o sentado no banco ao lado da janela enquanto escuta os grilos lá fora e a música de Bob Dylan, Cat Stevens, Neil Young. Mal ouvirá a briga na parte de baixo da casa. Vai fazer isso até ir para a faculdade.

A primeira droga é uma carreira de *speed* que ele cheira quando tem quinze anos. Isso acontece dentro do depósito de um mercadinho onde ele trabalha enquanto está no ensino fundamental e, mais tarde, quando está de férias da faculdade. O lugar fica aberto até as dez da noite e vende coisas como sanduíches, cereal, cigarros e gasolina. Um cara chamado Max que trabalha lá também é quem oferece o *speed* para ele. Max é mais velho, uma espécie de *bad boy* que tem uma namorada traficante, e é com ele que o menino fala de drogas e compartilha latas e mais latas de chantili Reddi-Wip desde que eles começaram a trabalhar juntos no turno da noite. Max oferece uma provinha para ele uma noite, e entra no estoque para arrumar tudo — uma carreira curta e fina em cima de uma caixa de palitos de mussarela, para ser cheirada com uma nota de um dólar enrolada atrás de caixas de ovo, refrigerante e leite semidesnatado. A droga faz seu nariz arder e no início ele não sente nada. Mas então leva o tranco, a súbita suspensão de que Max fala, e logo quer mais.

Durante anos, eles fazem isto de vez em quando: preparar carreiras no estoque, atender clientes e beber cerveja da lata que ele esconde debaixo do balcão. Às vezes cheiram cocaína, às vezes *speed*. Ele jamais consegue distinguir a diferença entre um e outro, mas não se importa. Aquilo ajuda a passar o tempo e traz uma alegria e um brilho ao trabalho que o torna suportável.

A maconha vem um pouco mais tarde e passa a estar sempre por perto, até ele chegar aos trinta e poucos anos. Ele fuma quase todos os dias quando está na faculdade, e de tempos em tempos quando está na casa dos vinte, até que certa noite a erva fica com um gosto esquisito, deixa-o nervoso e enjoado, e a partir de então perde a graça.

A primeira vez que ele fuma crack. Ele nunca conta essa história. Em vez disso, em geral diz que experimentou numa festa, que foi levado para um quarto por alguém que conhecia, um casal, um amigo, ou alguém que não conhecia. A pessoa muda toda vez. A história falsa sempre lhe parece menos vergonhosa, menos estranha, mais normal, até mais glamorosa. Mas não foi assim que aconteceu.

Há um advogado na cidade natal dele que nós vamos chamar de Fitz. Ele é um peixe grande nessa cidadezinha. Sua casa é enorme, antiga e, aos olhos de quem liga para essas coisas, importante. Ele e a mulher são pessoas sociáveis. São membros do *country club*, dirigem velhos Volvos e Mercedes, carregam sacolas com seus monogramas para todo lugar. Todo mundo conhece Fitz.

Num fim de tarde em Nova York, ele vê Fitz. Fitz o vê. Eles estão perto da pequena agência literária onde ele agora trabalha, perto das ruas de número cinquenta do lado leste da cidade. Ele sempre vai achar que o encontro ocorreu na livraria do prédio do Citicorp, mas nunca terá certeza. Tem vinte e cinco anos, talvez vinte e seis. Fitz o cumprimenta primeiro. Tem mais de sessenta anos, bem mais de um metro e oitenta de altura, cabelos grisalhos, e é atraente, da forma como o diretor de um colégio interno pode ser atraente. Fitz veste uma camiseta listrada de Oxford com as mangas enroladas e tem manchas senis salpicando a pele de suas mãos e antebraços.

"Por que não tomamos um drinque lá em casa?", sugere Fitz. E eles vão. Logo estão a vinte quarteirões dali, no apartamento de Fitz. Ambos bebem vodca — o advogado fala dos filhos, um morando na região Centro-Oeste, outro nas ilhas Bermudas, outro terminando a faculdade de direito em Washington. O apartamento é grande, tem dois quartos e fica num velho condomínio cooperativo em Murray Hill. Tem um leve cheiro de naftalina e a decoração o faz parecer uma secretaria de faculdade. O sofá e as poltronas são bem simples, de estampa chamativa azul-marinho e vinho. As cortinas são bege, e a mesa de centro de madeira escura com detalhes em ouro velho está coberta de fotos da família.

Depois de alguns drinques, estão falando de faculdade, sexo, bebida e drogas e, embora já devesse ser óbvio, ele subitamente percebe que Fitz — apesar da casa importante, dos filhos, da esposa, das sacolas — está dando em cima dele. Fitz tocou seu pescoço algumas vezes quando foi à cozinha pegar mais drinques; saiu da poltrona onde estava para sentar-se no sofá a seu lado; e apertou sua coxa algumas vezes no decorrer da conversa.

Agora Fitz está lhe dizendo que gosta de se drogar de vez em quando. Usa maconha na maioria das vezes, mas de tempos em tempos algo mais forte. Fitz pergunta se ele já fumou pedra e ele, sem hesitar, responde que sim. A verdade é que nunca fumou, mas já lhe ocorreu fazê-lo. Já pensou no assunto, imaginou como seria, porém nunca achou que esbarraria naquilo. Fumar pedra significa fumar crack, e crack era aquela coisa responsável pelas sórdidas prisões por posse de droga descritas na seção Cidade do *New York Times* e uma substância, pensava ele, só encontrada em guetos e prisões. Durante os anos 1980, quando cursava o ensino médio, o crack rendia manchetes nos jornais por ser a ruína de certos bairros, aumentar a incidência de crimes, ser incrivelmente viciante. Um flagelo terrível, monstruoso, o pior dos tabus. Algo que sempre o atraiu, algo que sempre teve vontade de experimentar.

Ele só conheceu uma pessoa que fumava crack: Jackie DiFiore. Ele e Jackie cresceram na mesma cidade onde Fitz mora e trabalha. Ela era quatro anos mais velha e estava sempre se metendo em confusão. Jackie acabou largando o colégio e, dizem, se mudou para Albany, em Nova York, para morar com um negro e virar uma viciada em crack. A história de Jackie era a forma mais popular de os pais de sua cidade assustar as crianças e ilustrarem O Que Acontece Quando Você Usa Drogas.

Muitos anos depois dessa noite com Fitz, ele se lembrará da sra. Parsons, sua professora de piano quando ele tinha doze anos. Uma irlandesa gorducha que morava mais para baixo na sua rua e que tinha pelo menos oito filhos. Ela fumava, bebia, fofocava e morava com todas aquelas crianças numa pequena casa verde à beira de um pântano. Parecia uma casa de bruxa, meio que se vergando sobre a colina que havia atrás dela. Um dia, ele foi ter sua aula lá e ficou imediatamente claro que não praticara a lição. De novo. Depois de errar um simples estudo algumas vezes, a sra. Parsons agarrou suas mãos e mandou-o parar. "Já estou vendo tudo!", vociferou ela. "Quando você crescer, vai ser um viciado em crack como a Jackie DiFiore. Não tenho dúvida. Vocês são farinha do mesmo saco."

Fitz vai até o quarto e volta com um vidrinho cheio de pedrinhas que parecem cristais leitosos. Pega um tubo de vidro transparente do bolso, explica que aquilo é um cachimbo e, numa das pontas, coloca um pouco de palha de aço e depois pedacinhos da droga, ou migalhas, como ele diz. Fitz lhe entrega o cachimbo com cuidado e, enquanto tira um isqueiro do bolso, pede que coloque os lábios ali. O tubo de vidro é delicado e suas mãos estão tremendo. Ele tem medo de derramar o crack no chão, mas isso não acontece. Fitz acende o isqueiro e passa a chama na ponta do cachimbo. Ele inala devagar ao ver aquela substância branca fazer bolhinhas e estourar no calor da chama. Uma fumaça perolada vem descendo pelo cachimbo e ele suga mais para trazê-la até a boca. Fitz pede que ele vá com calma, e ele obedece. Logo seus pulmões estão cheios, e ele segura a fumaça como faz com a fumaça da maconha. Ele exala e imediatamente começa a tossir. Tem gosto de remédio, ou de desinfetante, mas também um toque adocicado, como o sabor da lima. A fumaça forma vagalhões no ar, passando por Fitz como um grande dragão abrindo as asas. Ele vê aquela nuvem se espalhar e formar anéis e sente a onda primeiro como uma vibração, depois como um terremoto. Um raio de energia renovada eletriza cada centímetro de seu corpo, e há um momento de esquecimento perfeito, quando ele está consciente de nada e de tudo ao mesmo tempo. Uma espécie de paz surge por trás de seus olhos. Espalha-se das têmporas para o peito, depois para as mãos, depois para todo o resto. É algo que o bombardeia — algo cinético, sexual, eufórico — como um magnífico furacão girando na velocidade da luz. É a carícia mais terna que ele já sentiu, mas, quando recua, torna-se o mais gelado dos toques. Ele sente falta dessa sensação antes mesmo de ela ir embora, e não apenas quer mais, como precisa de mais.

Enquanto isso, um homem grisalho e atraente da sua cidade natal o está enlaçando, acariciando sua perna e dizendo que vai colocar mais uma pedra no cachimbo, uma pedra maior dessa vez, para eles compartilharem. Nessa segunda vez, ele faz o possível para ir devagar, mas Fitz diz que ele ainda está tragando com força demais, e que assim vai acabar queimando o cachimbo. Ele mal inala a fumaça e logo seus pulmões estão cheios outra vez. Tosse de novo e sente de novo, só que mais forte, aquela explosão de sentir e não sentir, consciência do tudo e do nada, uma energia furiosa que o faz ficar imóvel. Fitz pega o cachimbo e, depois que ele esfria, coloca uma pedra para si mesmo. Enquanto Fitz está tragando, ele indica os próprios lábios, e fica claro que está oferecendo para exalar fumaça dentro de sua boca. Depois que faz isso, os dois começam a se beijar.

Nada antes disso foi tão excitante. Essa tormenta percorrendo seu corpo enquanto ele beija um homem, o segundo ou terceiro que beijou na vida, um homem mais velho que seu pai, que ele passou a vida toda vendo no mercado e na biblioteca de sua minúscula cidade. Eles se agarram, ficam nus e levam aquela confusão de cachimbos, drogas e beijos para o quarto. Esse momento será um turbilhão de fumaça e pele e, de todas as vezes em que ele fuma crack será a única em que a ruína não ofusca a felicidade, em que ambas não entrarão imediatamente em guerra. A ruína só surgirá quando ele sair dali horas depois e se der conta de que já é quase meia-noite e que não está com uma aparência apresentável para encontrar Nell, sua namorada — a pessoa com quem está morando há mais de dois anos, apesar de vir se sentindo cada vez mais atraído por homens.

Antes de deixar o apartamento de Fitz, ele entra no banheiro e lava cuidadosamente as mãos, que ficaram enegrecidas e queimadas por causa do cachimbo quente. Lava o rosto e ajeita o cabelo, para não parecer que passou horas rolando na cama. Examina suas roupas, passa as mãos no blazer e se certifica de que todos os botões da camisa estão abotoados, que a gola não está amassada, que o zíper está fechado. Atrás de uma porta trancada, no pequeníssimo banheiro adjacente ao vestíbulo, ele faz todas essas coisas — de forma rápida e mecânica — pelo menos uma dúzia de vezes. É como se estivesse no piloto automático ou reagindo a um instinto primitivo, animal, que lhe diz que precisa passar de um estado a outro. Estica as meias, limpa os sapatos e enxuga a testa mais uma vez. Quando está ajeitando o cabelo e gargarejando com o líquido de limpeza bucal que encontra no armário, Fitz bate na porta para perguntar se está tudo bem. "Já estou saindo", diz, dando uma última olhada no espelho.

Ele procura um táxi na avenida Lexington e torce para que Nell já esteja dormindo. Está assustado com a maneira como o tempo mudou de forma, como seis horas pareceram ser apenas alguns minutos. Teme ter esquecido alguma coisa. Não sabe bem o quê — está com sua carteira, as chaves, a gravata amassada dentro do bolso do blazer —, mas tem certeza de que perdeu alguma coisa.

Isso vai acontecer pouco antes ou pouco depois da noite em que ele conhece Noah. Com certeza é antes de ele dizer a Nell que vai ter que deixá-la, antes de apresentar Noah a sua mãe, que lhe diz que ele não pode contar a Kim ou a mais ninguém na família que possa comentar com ela, pois a notícia talvez a faça perder os gêmeos de quem está grávida há pouco tempo. Antes de apresentar Noah a seu chefe, a seus amigos e aos escritores com os quais trabalha. Isso ocorre antes de Noah se tornar familiar em seu mundo, mas ele jamais saberá direito o que veio primeiro — se a noite em que conheceu Noah ou se a noite com Fitz. Foi numa época em que tudo parecia ser um começo.

Reunião de família

Noah é a primeira coisa que vejo quando saio do elevador no hotel Maritim. Meio agachado, com um dos joelhos no chão, barbado e trêmulo, parece prestes a sair em disparada e, ao mesmo tempo, prestes a erguer as mãos para se proteger de um ataque. E há mais alguma coisa em seu jeito de agir — como se houvesse sido flagrado fazendo alguma coisa, como se, de alguma maneira, fosse ele o culpado. Eu não o vejo desde aquela noite no Carlyle há três dias.

Passo correndo por ele, em direção à porta do saguão. Ele me chama, mas eu não paro.

De algum outro ponto, ouço alguém dizer: "Billy!".

Billy?

Ninguém me chama de Billy — ninguém além da minha família, dos meus amigos de faculdade e das pessoas com quem cresci —, e agora eu ouço esse nome como se ele estivesse sendo gritado da outra ponta da mesa de jantar da minha infância.

"Billy!"

É minha irmã mais nova, Lisa. Eu não a vejo, porém reconheço sua voz. Ela tem vinte e cinco anos, mas já tem uma voz — rouca de fumaça, quebrantada pela tristeza — que deveria ter levado mais vinte anos para adquirir. É o tipo de voz que, para algumas pessoas, só pode pertencer a quem sabe se divertir.

Passo os olhos pelo saguão a caminho da porta principal, e lá estão eles. Meu pai. Kim. Lisa. Minha família. Minha família, com exceção da minha mãe e do meu irmão mais novo, Sean. Não posso acreditar que estejam aqui. Meu pai teria de ter vindo das montanhas de New Hampshire, onde vive sozinho; minha irmã Kim, do Maine, onde mora com o marido e seus filhos gêmeos; e Lisa, de Boston.

Diminuo o passo por um segundo, para me certificar de que o homenzinho de jaqueta de náilon azul-clara e tênis cinza New Balance parado no saguão elegante e escuro do hotel Maritim é mesmo meu pai. Moro em Nova York há doze anos e durante todo esse tempo ele nunca, nem uma vez, pisou na ilha de Manhattan. Nunca viu o lugar onde moro ou o escritório em que trabalho. E até agora nunca conheceu Noah. Eu me pergunto se estou tendo uma alucinação.

"Willie, por favor", gagueja o homem com um forte sotaque de Boston.

É ele. Está parecendo o J. D. Salinger, arrancado de sua condição de recluso e atirado numa cidade grande onde não poderia estar mais desconfortável.

Saio de lá o mais rápido que posso. Quando chego à porta, Lisa agarra minha jaqueta. Sinto o cheiro de perfume e cigarro que exala dela quando me esquivo e saio correndo pela Nona Avenida. Ela vem atrás de mim, pedindo aos gritos que eu volte. Um táxi para ao lado do meio-fio. Eu entro nele e ordeno: "Vá!", e, graças a Deus, ele obedece. O sol reflete no cromo e no vidro dos carros que vêm na direção contrária, e eu preciso apertar os olhos para ver Lisa correr rua abaixo, chamar um táxi que mal chega a frear, abrir a porta com um puxão e pular para dentro.

Quando eu grito para o motorista que ele não pode deixar que o táxi ali atrás nos siga, morro de vergonha ao ver como a situação acabou ficando caricata, horrível. Como tantos outros momentos, esse parece saído de um filme da sessão da tarde ou de *Nova York, uma cidade em delírio*. O taxista faz seu papel — revira os olhos e segue em frente. Pela janela traseira, eu vejo meus parentes e Noah se espalharem pela avenida. É meio-dia na cidade, e o mundo passa correndo por eles. Fico impressionado ao ver como eles são pequenos, como tudo isso é pequeno. Como esses minúsculos dramas urbanos que ninguém chega a ver se esvaem rapidamente. Portas se fecham, motores roncam, táxis rangem, pessoas se dispersam. Pela janela, eu os vejo ficar cada vez menores, até virarem pontinhos. Há luzes piscando por toda parte e eu mal consigo enxergar.

Fora de perigo

Depois de três anos, o câncer de mama da minha mãe voltou. A agência literária que Kate e eu abrimos já está funcionando há alguns meses, e finalmente temos telefones. Estou determinado a ter linhas com o código de área tradicional de Manhattan, o 212, e, desprezando o conselho de diversos amigos, escolho a ATT como operadora, pois é a única que não vai nos empurrar um código de área 646 ou, pior, 347. Isso é importante para mim. O resultado são muitos atrasos e confusões, e acabo descobrindo que é a Verizon que controla todo o aparelhamento em Manhattan. A ATT é só uma cliente, portanto o problema em nossas linhas tem que ser resolvido com a Verizon, mas mediado por um funcionário da ATT na Flórida. Todos os dias, levo horas dando esses telefonemas. Usamos nossos celulares para trabalhar e, nas primeiras semanas desse processo em diversos momentos fica claro que podemos facilmente ter linhas fixas que funcionam se desistirmos daquilo e só ficarmos com a Verizon. Continuo me recusando, e fico à espera do código de área 212. Até digo na gráfica que eles podem imprimir todo o nosso material de escritório antes de saber se vamos poder usar aqueles lindos telefones começando com 212 que a ATT nos vendeu há meses.

Nessa época, vendo mais livros do que eu esperava; com a ajuda de Kate, contrato assistentes e um diretor de direitos autorais no exterior para a agência; almoço com editores e autores; e ligo para a minha irmã e a minha mãe diversas vezes por dia. Apesar de morar em Connecticut, minha mãe está se consultando em uma clínica de câncer de mama em Boston, e dirige três horas para ir e três horas para voltar, a fim de ver o médico que definiu como será o tratamento dela. Depois de algumas semanas, fica decidido que ela fará uma mastectomia radical dupla e uma cirurgia reconstrutiva no mesmo dia. Isso significa que passará oito ou nove horas na mesa cirúrgica, mas não terá de fazer mais nenhuma intervenção, se tudo der certo.

Comecei a consultar um psicólogo. Não é o primeiro. O primeiro foi cinco anos antes, um homem calvo e magricelo chamado dr. Dave, cujo consultório ficava perto do Gramercy Park. Dave é o cara com quem me consultei quando tinha vinte e cinco anos e ainda morava com Nell, na época em que minha consciência da beleza masculina, que sempre fora tímida e discreta, começou a forçar as portas e a se tornar algo mais urgente. Até então, minha história sexual com outros homens tinha se resumido a um encontro no banheiro de uma estação de trem quando eu estava na faculdade e a alguns amassos com um médico residente em oncologia que morava perto do meu primeiro apartamento em Nova York. Concluí que fizera aquilo só por curiosidade e tentei esquecer. Mas, perto do fim do meu relacionamento com Nell, antes de conhecer Noah, passo a me sentir atraído por homens — seus corpos, suas vozes, seu cheiro. Fico tentando me lembrar como fora beijar Ron, o oncologista, mas só me lembro do arrepio que me deu sentir uma barba por fazer raspando em meu rosto e do cheiro das camisas limpas e bem passadas dele. Ligo algumas vezes para o telefone de um anúncio do jornal *Village Voice* colocado por homens interessados em sexo e, quando Nell está fora da cidade, me encontro com alguns desses homens. Nada é tão excitante quanto minha lembrança daqueles primeiros momentos com Ron, mas mesmo assim aquele telefone me atrai — gosto de ouvir o que imagino ser homens solitários e desolados escrutinando a noite em busca de sexo. Acho que se eu for a um psicólogo conversar sobre isso vou conseguir fazer com que essa necessidade, essa nova urgência desapareça, ou pelo menos recue até um ponto em que eu não precise mais lidar com ela.

Sem explicar por quê, peço a meu chefe e a diversos amigos indicação de psicólogos e psiquiatras. Vou a consultas com cinco ou seis deles, e volto a procurar dois, até por fim escolher o dr. Dave. Ele me custa cento e setenta e cinco dólares por hora — em geral cobra duzentos e cinquenta, mas me deu um desconto porque eu não ganho muito — e quer que eu vá lá duas vezes por semana. Levamos três ou quatro sessões examinando minha atração por homens até chegarmos aos meus amigos de infância — Kenny, Adam, Michael — e discutirmos se eu me sentia atraído sexualmente por eles ou não. Eu acho que não e o dr. Dave insiste que eu tente me lembrar se já vi os pênis deles e eles o meu. A certa altura, comento por acaso que ninguém tinha como ver o meu pênis. Quando o dr. Dave me relembra que eu contei ter visto o de Michael diversas vezes enquanto pescávamos no rio Housatonic, eu digo, mais uma vez por acaso, que nunca fiz xixi no rio, pois sempre ia para um lugar entre as árvores.

"Por quê?", pergunta ele.

"Não sei", respondo.

"Você tinha vergonha do seu pênis?", continua ele.

"Não, acho que não."

"Então por quê?

Por quê?", repete ele.

E então. Lá estou eu. Onze ou doze anos. No meio das árvores, atrás de um emaranhado de galhos, dançando, pulando e sacudindo o pênis como se ele estivesse pegando fogo e eu precisasse apagar as chamas. E, com essa lembrança, milhões de outras vêm de uma só vez. Eu não acredito nelas num primeiro momento, mas naquele instante, e mais tarde, há uma sensação física, um velho reconhecimento corporal que me impede de acreditar que aquelas lembranças são apenas fios cruzados dentro da minha cabeça.

O dr. Dave e eu passamos um ano e meio lembrando de tudo aquilo — do banheiro da enfermaria, da cueca suja de sangue, do meu pai. Passamos muito tempo falando dele. O que ele disse, como disse, como aquilo me fazia sentir. Tudo isso. E então conheço Noah, seis meses depois vamos morar juntos, e eu me canso de me reocupar dos meus problemas de infância e paro de me consultar com o dr. Dave. Um dia simplesmente não vou mais. Ele me deixa alguns recados, mas eu pago pelas sessões que devia e não retorno. Não conto a ninguém aquilo que lembrei e, após algum tempo, volto a me perguntar se inventei tudo. A lembrança acaba recuando e desaparecendo quase por completo dos meus pensamentos.

Agora, três anos depois, estou com trinta anos e larguei o emprego onde estava havia sete anos, o único emprego que tive desde que me mudei para Nova York, para abrir uma agência com uma amiga. Já conheci Noah a essa altura — numa noite em que Nell está viajando e eu ligo para um daqueles telefones. Ele entra no vestíbulo do meu apartamento e, sem dizer uma palavra, nos beijamos. Passamos a noite conversando. Ele é másculo, mas também engraçado e carinhoso. Diminuo em um ano minha idade verdadeira e conto que me formei em Harvard e que meu pai passou a infância na rua Marlborough, em Boston. Corrijo as duas primeiras mentiras antes do nascer do sol, mas deixo a última intocada. Será meu pai mesmo, anos mais tarde, quando eles se encontrarem pela primeira e última vez, que contará a Noah que passou a infância em Dedham, Massachusetts, uma cidade-dormitório de classe média perto de Boston.

Contamos a todo mundo que nos conhecemos no Brooklyn, na festa de aniversário de um cliente meu que foi colega de classe de Noah no colégio. É o nosso primeiro segredo. Conseguimos guardar esse e mais outros por muito tempo.

Eu bebo demais e não consigo parar de telefonar para traficantes e de ficar na rua até de madrugada. Sou viciado em crack. Sei disso, Noah sabe disso, mas para todos os outros sou um cara decente e digno de confiança, com uma empresa promissora e um namorado maravilhoso. Moramos num lindo apartamento comprado à vista pela avó de Noah, e o enchemos de fotografias, móveis antigos e tapetes persas caros. De longe, parece uma vida invejável. De perto, é apenas parte do que parece: eu sou mesmo apaixonado por Noah, mas, além das infidelidades relacionadas com o crack, tive dois casos — um com um homem e outro com uma mulher. Acredito que Noah foi fiel a mim durante todo o relacionamento. Temos orgulho do nosso apartamento e de todas as coisas que arrumamos com tanto cuidado lá, mas chamamos o lugar de "Número Um" em vez de chamá-lo de casa.

É como se a cada semana um almoço, um jantar ou um telefonema qualquer vá arrancar minha máscara, revelar que eu não sou nem de longe tão inteligente, culto, bom para negócios ou bem relacionado quanto penso que as pessoas imaginam que sou. Minha conta bancária vive no zero, e quando vejo os livros-caixa da agência sempre me pergunto como vamos pagar nossos empregados, o aluguel ou a conta do telefone sem Kate precisar fazer outro cheque dela para nos manter no azul. Noah está cobrindo minhas despesas em casa, mas anotamos tudo, para que eu possa pagar o empréstimo quando o dinheiro das comissões começar a entrar na agência. Lembro da estrofe de um poema de W. S. Merwin que eu costumava ler para Nell: "Eu era um homem pobre morando na casa de um homem rico". Eu estremecia de horror sempre que lia isso. Muitas vezes gostaria que aquilo fosse verdade, que eu pudesse mesmo estar vivendo a vida que todos pensavam estar vendo. Mas, para mim, ela é apenas um espetáculo falso, e basta uma corda frouxa para que tudo venha abaixo.

Noah faz várias viagens a Los Angeles e Memphis para conseguir produtores, atores e dinheiro para o filme no qual vem trabalhando há anos. Quando ele está fora, eu ligo para Rico ou Happy, ou então vou me encontrar com Julio, um cara que conheci através de outro cara que conheci no apartamento do Fitz na segunda e última vez que fui lá. Esse cara, um garoto hispânico de vinte anos e dentes cinzentos, me chama para ir à casa de Julio, e eu acabo frequentando o lugar durante anos. As pessoas vão à casa de Julio e ele as deixa usar drogas e fazerem sexo, contanto que compartilhem com ele ambas as coisas. Essas noites costumavam ser escassas e espaçadas — a cada dois ou três meses —, mas agora acontecem semana sim, semana não. Antes, tudo terminava lá pela uma da manhã, mas agora acaba cada vez mais perto do amanhecer.

Após outra manhã difícil, após Noah ter me implorado que eu peça ajuda, concordo em me consultar com um psiquiatra especializado em vício. Pegamos um nome com um colega de faculdade de Noah e eu vou. O consultório fica em seu imenso e elegante apartamento da Riverside Drive. O encontro não dura muito. Ele me pergunta por que estou ali. Conto que uso crack e quero parar, mas não consigo, e ele pergunta sobre a bebida. "A bebida?", repito, como se ele tivesse acabado de mencionar o tempo no Peru ou o valor das ações da IBM. Ele diz que eu preciso parar de beber se quiser me tratar com ele, e eu educadamente peço licença e vou embora.

Seis meses depois, após outra sequência de noites ruins, surge outro nome, outro terapeuta, recomendado por outro amigo. Esse é diferente, se autointitula um consultor de redução de danos, o que é outra maneira de dizer que ele é um cara que te ajuda a planejar seu consumo de álcool e drogas, e assim mantê-los sob controle. Falo com essa pessoa só uma vez. É um homem muito bonito de quarenta e poucos anos com um consultório chique em Chelsea que parece um apartamento. Fazemos um planejamento elaborado — aqui, o número de drinques que vou tomar por noite, ali o número de vezes em que fumarei crack no mês — e fico animado por poder beber e usar drogas sob aprovação médica. Em uma semana, ultrapasso os limites que estabelecemos e então falto à segunda consulta por ter passado a noite anterior em claro. Nunca mais volto lá.

Meses depois: outra manhã difícil, outro nome dado por um amigo de Noah. Dessa vez é Gary, e ele é doce e gentil, e seu consultório fica a poucos quarteirões da agência. Gary pergunta por que fui vê-lo e eu conto. Ele dá uma remexida nas questões da minha infância, nós falamos do xixi, do pai severo, da mãe assustada. De como eles se conheceram quando ele era um piloto da TWA e ela uma aeromoça jovem e bonita. Quando chegamos ao meu pai, Gary pergunta o que minha mãe dizia quando as coisas ficavam complicadas durante o jantar. Descrevo o quanto ele foi cruel com ela, como ela era pobre quando pequena, em Youngstown; conto que ela é bem mais nova que meu pai, que o pai dela morreu quando ela era adolescente. Ele diz: "Tudo bem, tudo bem, mas o que ela dizia? Onde ela estava?".

Impressionante, o poder de três palavras. Elas vão abrir um saco de gatos enorme. Vou me lembrar de todas as consultas com o dr. Dave, quando eu descrevia, tim-tim por tim-tim, como meu pai era na época — como ele soava, o que dizia — e me dar conta de que nunca falamos sobre minha mãe. Nem uma vez. "Ela era uma de nós", penso, e talvez até diga em voz alta. Ele era horrível com ela. Criticava seu jeito de cozinhar, suas roupas, sua inteligência, seus interesses, seus amigos. Da mesma maneira que fazia comigo e Kim e, em menor proporção, com Lisa e Sean. Mas só consigo me lembrar de minha mãe nessa circunstância compartilhada. Não me lembro de ela alguma vez ter conversado comigo sobre o meu problema. Ou mesmo ter admitido que ele existia. Não lembro de uma palavra de conforto ou preocupação. Sobre as pernas quebradas, sim. Sobre professores malvados, claro. Mas sobre isso, jamais. Não posso sequer vê-la naqueles jantares em que havia convidados, em que meu pai ficava meio bêbado e começava a me provocar e me ameaçar. É como se todo aquele corredor da minha infância contivesse apenas a mim e a meu pai e, embora houvesse acontecido nos mesmos cômodos, com todos os outros, mais ninguém houvesse visto ou ouvido o que estava acontecendo. De repente, me sinto muito cansado.

Mais ou menos seis meses depois, minha mãe me liga para dizer que sua mamografia lhe trouxe péssimas notícias, que seu câncer de mama voltou e que ela vai a Boston fazer mais testes. Eu telefonei a ela poucas vezes nos últimos meses. Consultar-me com Gary é o mesmo que remover todas as fotos de minha mãe do álbum de família e substituí-las por alguém parecido com ela mas que é claramente outra pessoa, alguém que só agora começo a enxergar. Ela ficou confusa e magoada com esses telefonemas escassos, pois nós costumávamos nos falar várias vezes por semana. Reclama com Kim, e Kim me pergunta o que está acontecendo. Digo que ando incrivelmente ocupado com meu trabalho.

Após o telefonema sobre a mamografia, entro em contato com mais frequência. Demoro algumas semanas até entender a gravidade do que está acontecendo. Logo minha mãe marca uma cirurgia e os médicos nos dizem que dificilmente conseguirão remover todo o câncer e que, se conseguirem, será mais difícil ainda que ele não retorne, mesmo após sessões intensas de quimioterapia.

Kim e eu examinamos a situação financeira de nossa mãe. Ela tem pilhas de dívidas no cartão de crédito e ainda está soterrada por uma montanha de custos legais que surgiram quando se divorciou do meu pai anos antes. Foi um divórcio longo e complicado e, em dado momento, minha mãe me pediu para ir até New Hampshire, onde eles moravam, para testemunhar a seu favor num tribunal e conseguir uma ordem judicial dizendo que meu pai deveria manter uma determinada distância dela. Eu fui, embora o juiz já tivesse dito que não seria necessário, que ele daria a ordem judicial mesmo sem meu testemunho. Fiquei aliviado, mas me senti constrangido quando vi meu pai, num encontro breve em que não trocamos uma palavra, no saguão do tribunal.

O seguro está pagando a maior parte dos custos do tratamento de minha mãe, mas as outras contas estão se acumulando, e ela não tem conseguido pintar nenhum dos murais ou retratos que foi contratada para fazer, e que é como ela ganha a vida; além disso, vai ficar um bom tempo sem poder trabalhar depois da cirurgia. Conversamos seriamente sobre qual será nosso papel naquele processo em termos financeiros, eu finjo não estar preocupado e digo que a agência começou a dar dinheiro. Minha família me considera um sucesso e eu não quero manchar essa imagem. Kim me conta que nossa mãe decidiu que eu devo ser seu testamenteiro e que terei de assinar alguns documentos por causa disso. "Pode ser que ela não sobreviva", diz Kim, e as palavras ficam ali, suspensas no ar.

Isso é na primavera de 2001. A cirurgia da minha mãe é marcada para maio, e eu pego um avião para lá. Kim já está lá desde o começo da semana com Lisa, nossa irmã mais nova, que mora por perto. Sean tem dezenove anos e perambula mal-humorado pelos corredores e quartos do hospital. A cirurgia é bem-sucedida e, quando nos deixam entrar para vê-la, nossa mãe parece estar com metade de seu tamanho e peso normais — esquálida, fraca, minúscula no roupão do hospital que lhe pende dos ombros. Eu não a vejo há meses e quando ela fala seus olhos se enchem de lágrimas, parece ser difícil demais para ela formar aquelas palavras e impeli-las para o mundo. Quando saio no corredor para ligar para Noah, começo a chorar de forma descontrolada e constrangedora. Tudo — a agência, as noites maldormidas, a preocupação com dinheiro, a sensação de que não conseguirei viver esta vida que construí — parece esmagador, e agora minha mãe, com quem fazia seis meses eu não falava por mais de alguns minutos, pelo visto está morrendo, e eu estraguei tudo e não vou poder consertar. A voz de Noah treme na ligação ruim, e ele diz que eu não devo me preocupar, pois tudo vai dar certo. Finalmente paro de soluçar e, quando me despeço dele, tenho a impressão de que estamos muito longe um do outro.

Ficamos no quarto com minha mãe, que dorme, e conversamos aos sussurros enquanto as enfermeiras entram e saem e mexem nos tubos e prontuários ali em volta. O cirurgião dela, um homem alto de cabelos negros que está na casa dos quarenta e tem uma barba por fazer muito escura, chega e nos diz que houve complicações na cirurgia de reconstrução das mamas e que eles talvez precisem fazer outra operação dali a alguns dias, mas que a cirurgia para remover o câncer e os nódulos linfáticos correu muito bem. Eu penso no fato de esse cara ter ficado debruçado sobre minha mãe o dia todo e que teve a vida dela nas mãos. Meu trabalho, a agência e todas as minhas preocupações encolhem diante desse super-herói e me sinto envergonhado, e não pela primeira vez naquele dia.

O dia no hospital passa arrastado. Em dado momento ouço um murmúrio na porta e, como um milagre, surge Noah, sorrindo e trazendo sacolas cheias de comida do Dean & Deluca. Depois que eu telefonei, ele comprou uma passagem e veio o mais rápido possível. É como se o chão que ruíra quando entrei no hospital se refizesse de repente. Noah me abraça e eu fico agarrado a ele o máximo de tempo possível.

Minha mãe voltará para sua nova casa em Connecticut, aquela que ela comprou após o divórcio e que fica no campo em uma cidadezinha perto da cidadezinha onde passei minha infância. Seus muitos amigos a levarão de carro até a quimioterapia e a radioterapia, e até Boston, onde ela vai consultar seus médicos. Eles levarão refeições para ela todos os dias ao longo de meses, darão comida para seu cachorro, e devagar, bem devagar, ela deixará de ser a criatura frágil e pálida que vimos na cama do hospital e voltará a seu aspecto saudável de querubim. Seu cabelo crescerá, menos cheio do que antes. Mas quando cinco anos se passam e minha mãe fica, como dizem os médicos, "limpa", é impossível dizer o quanto ela esteve perto da morte. Nós dois nos veremos bastante e nos falaremos com frequência no primeiro ano de sua recuperação. Eu me sinto confortável com aquela mãe inocente e ferida, e agimos um com o outro mais ou menos como agíamos quando eu era adolescente, e até depois disso — de forma atenciosa, solidária, encorajadora. Mas à medida que ela vai ficando mais saudável e voltando a ter uma vida normal, passo a ligar cada vez menos, a só visitá-la no Natal e a me afastar, como vinha fazendo antes.

Onde

Banheiro masculino da estação de trem de White Plains, linha Metro North (mãos febris indo de um zíper a outro no mictório e depois, rápido, para dentro do boxe, uma boca apressada em mim até que, de repente, minha primeira vez com um homem acaba).

O dormitório de Ron, a três quarteirões do meu primeiro apartamento em Nova York, duas vezes.

Ao telefone, no escuro. Nell viajando. Todas aquelas vozes, toda aquela carência.

No apartamento que se ergue sobre a parte sul da cidade, após uma longa noite bebendo, dançando e fumando maconha, com um escritor cujo agente é meu chefe. E com o namorado dele. Corpos indistintos e uma fuga rápida antes de eles acordarem. A neve caindo pela primeira vez naquele inverno.

Na sauna da academia na rua 57. Homens de meia-idade. Amedrontados, sérios, com suas alianças embaçadas nos dedos.

Banheiro de um trem da linha Metro North. Um jovem lindo, mais velho do que eu mas com não mais de vinte e cinco anos, que estava sentado do outro lado do corredor e que indica que eu devo segui-lo quando caminha até a ponta do vagão. Beijos. Só beijos e mãos gentis acariciando meu rosto e minhas têmporas. "Vai ficar tudo bem", sussurra ele ao abrir a porta e desaparecer no vagão seguinte. Como ele sabia que eu temia que não ficasse?

Amor

Então, fora de ordem, uma lembrança. É minha quarta noite no hotel 60 Thompson. Minha quarta noite em Nova York após ter entrado e saído do Silver Hill e ter me escondido no Courtyard Marriott de Norwalk, Connecticut. Telefonei para um garoto de programa que nós vamos chamar de Carlos. Carlos é moreno, brasileiro, tem mais de quarenta anos e já esteve aqui em outra ocasião, na noite em que cheguei. Ele não fala muito, é musculoso e alguns centímetros mais alto que eu. Custa quatrocentos dólares por hora. Sei que tem um emprego legítimo, que está fazendo faculdade à noite para se formar em administração, ou qualquer coisa parecida, e que é de São Paulo. Ele está a caminho. Happy acabou de ir embora e por isso tenho bastante crack. Meu telefone toca e eu vejo que é o número de Noah. Ele deve ter voltado de Berlim. Sem pensar, dominado pela súbita necessidade de ouvir sua voz, eu atendo. Noah não se exalta e eu acabo revelando onde estou e dizendo que ele pode vir ficar um pouco comigo. Não tenho ideia do que vai acontecer, mas minha necessidade de vê-lo é mais forte que meu medo de ser pego e arrastado de volta para casa. Em poucos minutos, ele bate na porta. Vejo-o pelo olho mágico, mas sua imagem está distorcida e eu só reconheço suas roupas. Fico observando-o durante algum tempo do outro lado da porta antes de abri-la. Quando o deixo entrar, percebo que sua barba está mais cerrada do que nunca e que ele está mais magro. Quero correr para seus braços, mas fico com receio e me controlo. Ele hesita também, e andamos em volta um do outro, cautelosos. Escondi o crack, minha carteira e meu passaporte no banheiro, debaixo de uma pilha de toalhas, caso Noah tente pegá-los de mim. Ele começa a fumar um cigarro e, mesmo ali, mesmo naquele momento, eu faço uma careta e digo "Jura?" Noah me ignora e fala em ir embora daquele hotel, ir com ele, me internar num centro de reabilitação. Fico com raiva e digo que vou embora do hotel, mas não com ele. Vou sumir em outro lugar e, da próxima vez, não vou atender quando ele me ligar. Cerca de vinte minutos se passam e eu estou consciente de duas coisas: 1) Não fumo desde antes de Noah chegar, e preciso fazê-lo e 2) Carlos vai chegar a qualquer momento. Digo a Noah que ele precisa sair dali, senão quem vai sair sou eu. Noah se recusa a ir embora e eu finjo exageradamente que estou me arrumando — calço o sapato, pego o casaco —, até que ele me manda parar. O tempo está passando, a onda que eu estava sentindo já sumiu há muito tempo e começo a ficar nervoso e triste. Digo a Noah que ele pode ficar por mais alguns minutos, mas que eu preciso fumar um pouco. Se ele não quiser ver, pode ir embora. Noah diz: "Tudo bem, fume um pouco". E é isso que eu faço. Vou ao banheiro, fecho a porta e pego o cachimbo e o saquinho debaixo das toalhas. Coloco a crack no cachimbo antes de sair do banheiro e, em vez de deixar o resto da droga ali, enfio-a no bolso da frente da minha calça jeans. Volto para o quarto, sento na beirada da cama e pergunto: "Tem certeza que vai aguentar ver isso?". Noah diz que sim. Estou sentado de frente para ele quando acendo o cachimbo e inalo o máximo de fumaça possível. Ao exalar eu o encaro e, embora veja o quanto sua expressão está sombria, não consigo discernir o que ele está sentindo. A onda que percorre meu sistema nervoso esmaga os sentimentos de Noah e qualquer reação normal que eu pudesse ter a eles. Encaro meu namorado como se estivesse dentro de um trem deixando a estação, vendo um estranho parado na plataforma. Com curiosidade, com a vaga conexão que os olhos nos olhos traz, mas basicamente com indiferença. Noah se afasta de mim e, quando faz isso, eu falo de Carlos. Penso que ele vai explodir ou gritar, mas ele se mantém calmo e diz: "Tudo bem. Eu vou ficar aqui. Se você se recusa a ligar para ele e dizer que não é para ele vir, eu fico. Não se preocupe, vou ficar bem". Ouço essas palavras como se elas estivessem sendo ditas da outra ponta de um enorme campo ou do outro lado de uma janela de vidro bem grosso. E, como é assim que eu me sinto, digo apenas: "Tudo bem".

Carlos chega. Ele olha para Noah, volta-se para mim e pergunta se ele vai continuar ali. Eu digo que sim, por algum tempo. Eles se olham e Carlos senta na cama. Eu dou mais uma tragada. Noah se senta numa poltrona ao lado da janela. Eu fumo mais. Noah não diz nada. Carlos indica que eu devo me sentar na cama e eu vou, segurando o cachimbo, o isqueiro e o saquinho. Sirvo-me de mais uma vodca e pergunto se ele quer beber alguma coisa. Ele pede uma cerveja, então eu pego uma do frigobar, abro e lhe entrego. Carlos dá um enorme gole e tira a camisa. Ele é bem moreno e sua pele é perfeita. Eu fico observando ele tirar o relógio e desamarrar os cadarços. Fumo mais e, quando exalo, já quase me esqueci que Noah está sentado a menos de um metro da cama. Carlos e eu nos beijamos. Ele cheira a perfume Old Spice e a tabaco, uma mistura de odores específica que eu associo a meu pai. Rolamos na cama e, após não muito tempo, eu preciso de mais uma tragada e de alguns goles grandes de vodca. Coloco crack no cachimbo, inalo bastante fumaça e me volto para Noah quando estou exalando. Tento decifrar sua expressão, e não encontro raiva, nojo ou dor. O que vejo, ou pelo menos acho que vejo, é compaixão. Quando me aproximo do bar para me servir de mais um drinque, pergunto se Noah já viu o suficiente e ele diz: "Não, ainda aguento". Quero me aproximar dele, estar com ele e, pela primeira vez, me ressinto de Carlos estar ali. Bebo e fumo mais antes de voltar para cama, e a essa altura meu corpo está aceso de desejo — um desejo imenso, indiscriminado, faminto. Carlos e eu logo tiramos toda a roupa e, quando ele está em cima de mim, eu me viro para Noah e faço um sinal para que ele se aproxime da cama. Ele obedece e se deita ao meu lado. Carlos e eu continuamos a transar e, em dado momento, eu me dou conta de que Noah está segurando minha mão. Viro para ele e vejo que seus olhos estão cheios de lágrimas. Ele acaricia minha mão e meu braço e diz: "Não tem problema, está tudo bem, não se preocupe, não tem problema". Suas palavras, sua mão me tocando, Carlos em cima de mim, o crack e a vodca me devastando — vergonha, prazer, carinho e aprovação colidem, e o pior do pior já não me parece tão ruim. Uma das coisas mais horríveis que eu poderia imaginar — estar drogado, fazendo sexo com outro homem na frente de Noah — agora foi reduzida a algo humano, e a uma dor que pode ser apaziguada, a um ato monstruoso que pode ser mostrado e perdoado. "Está tudo bem", garante Noah com sua voz suave e seu toque gentil, e por alguns longos instantes fica tudo bem mesmo.

Carlos acaba indo embora, e Noah e eu sentamos um diante do outro em poltronas perto da janela. Ele me diz que eu não devo sentir vergonha do que aconteceu, que não sou o único que estragou nosso relacionamento e que ele também é culpado. Noah me explica de que forma tem culpa, mas eu não acredito. Ele me dá alguns detalhes, no entanto eu mal ouço, achando que ele só está tentando me consolar.

Digo a Noah que ele precisa ir e prometo ligar mais tarde. Ele concorda. Mas eu não vou ligar. Vou arrumar minhas coisas, sair daquele hotel e ir para outro. Vou passar um bom tempo sem conseguir lembrar da visita de Noah. Ela permanecerá bem enterrada na minha memória. E quando recordo aquilo que o obriguei a presenciar, cada centímetro do meu corpo queimará de vergonha. Mais tarde ainda, finalmente vou poder dobrar a esquina da vergonha e ver que, naquele curto espaço de tempo, ele permaneceu ao meu lado, segurou minha mão no quarto de hotel e me disse que estava tudo bem. Disse que me amava. E vou lembrar que naquela noite — assim como em todas as noites que eu passara com ele — tive certeza de que Noah é a única pessoa no mundo que, sabendo o que soube, vendo o que viu, suportando o que escolheu suportar, poderia ter sido capaz de fazer aquilo. A pergunta que nunca fiz é por quê.

Blecaute

Estamos no verão de 2003 e, devido a uma série de extraordinários erros de cálculo e confusões da companhia fornecedora de energia elétrica, a cidade de Nova York ficou sem luz. Manhattan está morta e mergulhada no escuro num dos dias mais quentes do ano. Estou descendo a parte mais baixa da Quinta Avenida em meio a um mar de gente atordoada que estava trabalhando, estudando ou fazendo compras. Minha cabeça está pesada e o sol do fim da manhã reflete com intensidade demais nas janelas da cidade e no cromo dos carros engarrafados. Passei a noite anterior em claro. Fiquei acordado até de madrugada fumando crack e, ao chegar em casa, encontrei todas as luzes do apartamento acesas. Abaixo do espelho, no bar que temos no vestíbulo, vi um bilhete escrito às pressas nas costas de um envelope: "3h01 da manhã, não aguento mais". Não faz muito tempo, Noah começou a ir para um hotel quando eu não volto para casa. Em geral, acaba no Sheraton da Park Avenue South.

Depois de umas poucas e inúteis horas de ressaca no escritório, a luz acabou, o prédio todo ficou escuro e resolvi voltar para casa.

Enquanto sigo pelas ruas cheias de gente, prometo a mim mesmo que esse vai ser o último dia que estarei desse jeito. Chega de passar a noite acordado, chega de Noah indo para hotéis. Como sempre, todos os detalhes sórdidos da noite anterior surgem em minha mente. Há algo no crack, pelo menos para mim, que intensifica as lembranças em vez de apagá-las. Jamais acordo de manhã sem saber o que fiz na noite anterior.

Mal me dou conta da crise cada vez maior que o blecaute causa ao meu redor, estou muito mais preocupado em parecer bem descansado e em ser bastante carinhoso quando encontrar Noah. Hordas de pedestres frenéticos atravessam confusamente o meio da Quinta Avenida, e eu só penso em como vou convencê-lo de que esse dia marcou o fim das noites perdidas, a esta altura incontáveis. Eu acredito mesmo nisso. Embora a lembrança de todas as manhãs como essa que tive nos últimos três anos — e a lembrança de acreditar que cada uma delas seria a última — bloqueie o caminho de meu novo plano como um sapo no meio da estrada, mesmo assim eu acredito, de novo, que dessa vez vai ser diferente. Que aquele velho e tenaz hábito será abandonado.

Sei que se a luz voltar até a noite, nós vamos ao Knickerbocker. Eu não vou beber. Ou, se beber, vou beber só vinho. Apenas uma taça. Talvez duas. Vamos conversar sobre o apagão e o caos que se seguiu, e isso nos distrairá do horror da noite anterior. Vou ameaçar largar Noah quando ele disser: "O que nós podemos fazer sobre isso?" ou "Você precisa de ajuda". Após alguns segundos de silêncio pesado, falaremos da garçonete que está com câncer, de como ela é corajosa, de como trabalha duro, de como são legais as roupas que ela mesma faz e usa para vir trabalhar. Eu a observo passando com dificuldade pela multidão no bar, segurando bandejas repletas de bifes e bebidas, e me pergunto se pedir uma terceira taça de vinho fará Noah insistir em falar mais sobre centros de reabilitação, grupos de terapia que ele pesquisou, alcoólicos anônimos. No momento em que a garçonete traz nossos hambúrgueres com fritas, só penso na quantidade exata que vou poder beber naquela noite sem causar um rebuliço. Esta será a única coisa em minha mente — "só mais uma taça" — enquanto ela descreve a quimioterapia, a exaustão, a acidez no estômago e a perda de cabelo. "Você é incrível", digo, tocando minha taça e assentindo para indicar que quero mais uma enquanto evito o olhar furioso que Noah me lança do outro lado da mesa. E, num ímpeto de ousadia, acabo dizendo: "Na verdade, me traga uma vodca". Nem olho para Noah antes de pular da cadeira para ir ao banheiro, me perguntando se ele ainda estará na mesa quando eu voltar. Quando volto, ele está, como sempre, chorando. Ele continuará a implorar para que eu pare de beber e vá me tratar, e eu continuarei ameaçando ir embora — do restaurante, da vida dele. Após algum tempo, não dizemos mais nada. A nossa volta, o burburinho do restaurante, uma estrela de televisão sentada num dos cantos com o marido, alguém da área editorial na sala ao lado, diversos clientes regulares debruçados sobre seus copos no balcão. São assim nossas noites no Knickerbocker. Muitas noites. Mas nessa noite, nessa noite do blecaute, será diferente.

No mar de gente que entope as ruas, subitamente vejo Noah. Meu namorado está subindo a Quinta Avenida e me vê no mesmo instante. Estou com meu assistente e o diretor de direitos autorais da agência, o que é um conforto, pois não quero ficar sozinho com ele. Não preciso ver sua expressão para saber que Noah está furioso. Ele mal cumprimenta os outros dois e, para mim, diz apenas: "Vamos". A avó dele está em seu apartamento no décimo sétimo andar do Sherry Netherland e nós precisamos ir vê-la. "Agora."

Eu digo a Noah que o encontro lá depois e, na frente dos meus colegas de trabalho, ele diz: "De jeito nenhum, venha comigo agora". Eu digo "Relaxe" e Noah retruca que fará isso quando eu for com ele. Despeço-me dos meus colegas e, em vez de fazer um escândalo, começo a subir a Quinta Avenida na direção do Sherry. Ando na frente de Noah durante quase todo o trajeto até o norte da cidade, da rua 14 à rua 57. A cidade está uma bagunça e, por causa do 11 de setembro, há uma sensação de que o que está acontecendo é mais que um blecaute. Boatos de terroristas explodindo usinas elétricas pipocam pelas ruas. A atmosfera está pesada, com ar de calamidade.

Quando estamos nos aproximando do Sherry, encontramos uma *delicatéssen*. Dessas bem chiques, cujos clientes são as pessoas que vivem depois da rua 57 e antes da rua 60, entre a Quinta Avenida e a avenida Madison. Eles vendem vinho e têm até uma máquina que gela a garrafa instantaneamente e que, graças a um gerador, ainda está funcionando. A *delicatéssen* estaria no escuro se não fosse por algumas velas, e a mulher do dono está parada ao lado da porta fechada, prestando bastante atenção em quem vai deixar entrar. Noah coloca uma garrafa de Sancerre no balcão e eu pego mais três. Faço isso de propósito na frente do dono da loja, para Noah não poder reclamar. Ele apenas sacode a cabeça devagar e, quando vai pegar a carteira, eu lhe passo quatro notas de vinte. Compramos bastante galinha assada, biscoitos de água e sal e queijo, e retomamos nosso caminho, virando a esquina para chegar ao Sherry.

O prédio é quase todo residencial, mas também tem alguns quartos de hotel. Porteiros, mensageiros e gerentes lotam o saguão quando entramos e explicamos que estamos ali para ver a avó de Noah, ou Neeny, como todos a chamam. Eles nos reconhecem, e um deles nos leva até a escada, que iluminaram colocando velas em cada um dos lances. Antes de começarmos a subir, paro no espelho do saguão para deixar minha aparência apresentável e esconder o sono e a ressaca. Ajeito o cabelo, limpo o suor do rosto e enfio a camisa dentro da calça. Felizmente estou com meu colírio, então encho os dois olhos vermelhos com ele e espero que, na penumbra, Neeny não consiga vê-los, nem a mim, muito bem.

A escada está quente e úmida, e a luz dança no papel de parede verde e dourado. Naquela escuridão tremulante, parece que estamos debaixo d'água, nos movendo em câmera lenta, a salvo de tudo. Estou exausto, mas os passos abafados e o ar úmido são tranquilizadores. Estamos carregando sacos de vinho e comida num túnel de ouro, com a luz dançando em nossa pele. O medo de antes começa a desaparecer e, quando Noah se vira entre um lance de escada e outro para ver se ainda estou atrás dele, seus olhos brilham com as chamas das velas e parecem bondosos de novo.

Comemos e bebemos com Neeny, tocamos afetuosamente o braço um do outro enquanto usamos gestos para ilustrar histórias sobre nossas férias em Paris, o filme de Noah e o meu trabalho. Tento imaginar o que Neeny pensaria se soubesse que eu passei a noite anterior fumando crack num prédio vagabundo do Lower East Side, num apartamento com quatro fechaduras e uma barra de ferro na porta. Imagino as feições dela mudando do sorriso para o espanto quando alguém lhe conta. Bebo mais Sancerre, taça após taça, e deixo que a maré de vinho disfarce minha exaustão e minha crescente vergonha. Vejo Noah divertir Neeny, elogiá-la e gentilmente ajudá-la a andar pelo apartamento escuro até seu quarto após o jantar, acariciando suas costas ao longo do caminho. Eu os observo e amo esse lado de Noah, esse lado carinhoso que é tão devotado e que se sente tão confortável com a própria família.

Dormimos em sofás na sala e saímos na manhã seguinte. Voltamos caminhando para casa e vemos restaurantes, lojas de conveniência e mercados fechados o dia todo. A engrenagem da cidade para. As pessoas parecem perturbadas ao se deparar com portas fechadas e cartazes escritos às pressas anunciando "Fechado" por toda a cidade. No fim da tarde, a luz magicamente volta. Quase de imediato todos se esquecem de como estavam se sentindo desamparados. A vida retorna, e tudo volta a ser como era.

Jantamos no Knickerbocker nessa noite, e é um jantar igual a todos os outros. Súplicas, ameaças, silêncios, lágrimas. Quando me levanto para ir ao banheiro, lembro da noite anterior; como, depois que jantamos, eu tinha ficado diante da janela de Neeny, zonzo por causa do Sancerre e da noite maldormida, e olhara para o canto sudeste do Central Park e para o hotel Plaza, que estava escuro, ainda mais escuro que os outros prédios. Lembro de como a cidade estava silenciosa — sem o murmúrio dos ares-condicionados, sem as vozes dos televisores e rádios. De como havia poucos carros nas ruas. E de como o Plaza estava deserto, encolhido ali embaixo, humilhado. A cidade em volta cansada, exaurida, como se finalmente houvesse desistido de seus esforçados habitantes, perdido o interesse por aquele aborrecimento todo.

Abrigo

"Para onde?", pergunta o taxista enquanto vamos a toda para o sul, para longe de Chelsea, do Maritim, da minha família. O táxi de Lisa sumiu, e alguns quarteirões adiante já não estou pensando nela ou em nenhum deles. Estou pensando no lugar para onde vou agora. Tenho meio saquinho e um cachimbo usado no bolso. Preciso ir fumar em algum lugar. Passamos pelo hotel Gansevoort, onde eu sei que jamais poderei voltar. Não depois daquela manhã três dias atrás, com Noah e o investigador particular. E não depois de ter deixado raspadores e cinzeiros cheios de resíduos de crack no quarto, e talvez até um cachimbo — acho que fiz isso, mas não tenho certeza, não consigo me lembrar bem. Em geral, sou hipercuidadoso. Em geral, limpo tudo meticulosamente, várias vezes, para que ninguém que entre no quarto para arrumá-lo descubra o que aconteceu ali. Mas fomos embora com tanta pressa, e eu estava enlouquecido de pânico por causa daquelas histórias de que a polícia tinha ido ao Número Um me procurar e que havia uma investigação sobre mim na Divisão de Controle de Produtos Químicos. Imagino os gerentes do Gansevoort e do

Maritim examinando o quarto com policiais civis e federais — procurando impressões digitais nos copos de vodca e nos controles remotos, coletando pedacinhos de crack no carpete para testar num laboratório, pescando recibos de caixa eletrônico das latas de lixo e ligando para o Banco Chase para levantar todos os detalhes sobre mim. Nenhum lugar me parece seguro. O relativo anonimato de que eu gozava antes parece ter desaparecido. Noah e o investigador particular podem me encontrar aonde quer que eu vá. Desligo o celular. Brian não disse alguma coisa sobre eles poderem me rastrear através dos sinais do meu celular? Vou passar a ligar para Happy de telefones públicos. Direi a ele que meu celular quebrou.

Tateio o pequeno saco plástico no bolso e sinto as formas das poucas pedras de tamanho médio lá dentro. Para onde eu posso ir? Aonde? Preciso ir a um lugar seguro, mas lugar nenhum é. O taxista volta a me perguntar para onde estamos indo e eu mando que siga na direção leste. Leste da rua 5, em algum lugar perto do Houston. O leste da cidade me passa a impressão de uma fronteira. Uma região inexplorada longe do West Village e de Chelsea, onde passei as últimas semanas. Quando seguimos na direção do Houston e corremos para o leste, sinto que estou saindo de uma terra arruinada e entrando num mundo novo em folha. Já estive aqui um milhão de vezes, mas nada me parece familiar. Os prédios, placas, restaurantes e até as pessoas são genéricos, implausíveis, não muito convincentes como nova-iorquinos, como Nova York. É como se fosse um filme rodado em Toronto, com a cidade tentando se passar por Manhattan.

Peço que o taxista pare o carro na esquina da rua Houston com a rua Lafayette. Percebo que o taxímetro não foi ligado. Percebo também que a foto do taxista está coberta por um pedaço de papelão, mas mesmo assim consigo ler o nome dele, que é Singh ou algo assim, um nome indiano ou paquistanês. O motorista é negro, e definitivamente não é da Índia. Começando a entrar em pânico, pego uma nota de dez dólares na minha jaqueta e enfio-a pela janelinha que há na divisória de acrílico. Aquele motorista negro, não indiano, que nem se incomodou de ligar o taxímetro, ri quando saio desajeitadamente do táxi.

Para onde eu vou? Só tenho nove mil e pouco na conta e o fim está à vista. Faço uma lista mental de todos os hotéis em que me hospedei — Gansevoort, 60 Thompson, Washington Square, Maritim. Preciso de um lugar novo e decido tentar o Mercer. É o hotel mais próximo dali, e imagino um quarto limpo e sereno com sabonetes extraordinários e um poderoso chuveiro que me limpará de todos os inconvenientes horríveis dos últimos dias. Talvez esse seja o último hotel em que ficarei.

Entro no saguão elegante e silencioso e me aproximo da recepção. Pergunto a uma jovem se há um quarto disponível e ela pede que eu aguarde um instante. A jovem volta um ou dois minutos depois com um homem de trinta e muitos ou quarenta e poucos anos que usa óculos. Ele imediatamente diz: "Sinto muito, mas não há nada aqui para você". Pergunto se não há nada mesmo ou se só não há nada para mim. Ele responde: "Acho que você me escutou", com uma expressão hostil. A mulher está constrangida e se recusa a me encarar. Levo alguns segundos para entender o que está acontecendo. Deve ser óbvio que estou drogado. Eu me dou conta de que não me olho no espelho desde que saí do meu quarto no Maritim. Será que meus olhos estão vermelhos? Será que estou fedendo a fumaça e álcool? Não consigo lembrar se tomei banho de manhã. Enrubesço de vergonha e vou embora sem dizer uma palavra.

Saio na rua Mercer me sentindo apavorado. De alguma maneira, sem perceber, tropecei numa fronteira qualquer e passei do lugar onde ninguém sabe que sou viciado em crack para o lugar onde o fato é óbvio o suficiente para me recusarem um quarto. Olho para minhas mãos para ver se elas estão tremendo. De repente, pela primeira vez, acho que talvez eu esteja agindo e falando de uma maneira que não sou capaz de perceber. Assim como o cheiro do meu corpo ou o mau hálito que só os outros notam, meus gestos e toda a minha conduta talvez estejam invisíveis para mim. Tento ver se as pessoas estão me olhando. Se estão fazendo cara de nojo quando passam por mim. Minhas calças estão muito frouxas. Já faz mais de uma semana que mandei fazer um buraco novo no cinto e meu suéter azul-marinho de gola rulê está largo nos ombros e deve, com certeza, estar fedendo muito. Embora eu venha fumando crack, bebendo litros de vodca por dia, passando noites em claro e correndo de hotel em hotel sem parar há um mês, levo um enorme choque ao pensar que minha aparência talvez seja mesmo a de um drogado. Sinto que a capacidade que já tive de me movimentar pelo mundo se esvaiu, que as palavras "VICIADO EM CRACK" foram escritas com cinza na minha testa e que todo mundo pode vê-las.

Não estou em lugar nenhum e não pertenço a lugar nenhum. Agora entendo como é que acontece — a descida gradual, a chegada a cada lugar antes inimaginável: o antro de crack, o centro de reabilitação, a cadeia, a rua, o abrigo para sem-teto, um espanto rápido e então uma nova realidade à qual vamos nos ajustando. Será que agora estou no purgatório entre cidadão e ninguém, entre rapaz distinto e mendigo?

Começo a andar. Já é quase meio-dia e as ruas estão cheias de gente. Estão cheias de gente, mas parece que um caminho se abre quando eu passo. Como se as pessoas estivessem se afastando, me evitando. Não quisessem encostar em mim. Será que *todo mundo* está vendo? Será que é *tão* óbvio? Há sangue no meu rosto? Preciso achar um espelho. Vejo um bar vagabundo em algum lugar ao norte do Houston. Está aberto, e vou direto ao banheiro. Tranco a porta, pego correndo o saquinho, o cachimbo e o isqueiro, e fumo furiosamente. Evito olhar para o espelho, pois, se eu for topar com algo horrível lá, ainda não quero ver, não antes de fumar um pouco. Abro a torneira para abafar o som do isqueiro. Coloco quase metade das pedras do saquinho no cachimbo e dou uma tragada gigantesca. Inalo o que me parece ser uma galáxia de fumaça e prendo a respiração até começar a sufocar. O banheiro vira uma nuvem branca, uma sauna de fumaça de crack, mas por sorte há uma janelinha acima da pia que eu abro imediatamente. Ao lado da pia há um espelho e, enquanto a fumaça espessa vai saindo devagar pela janela, eu me olho. Meus olhos estão verdes e vermelhos e a gola rulê do suéter está suja com o que parece ser uma pasta branca. O suéter e a jaqueta dão a impressão de ser três números maiores do que o meu e há uma meleca seca entupindo minha narina esquerda. Uma barba de muitas semanas tem fios negros misturados a brancos, louros e ruivos. Brancos? Vejo um velho me olhando do espelho; esquálido, trêmulo e assustado. Desgastado. Dou mais uma grande tragada no cachimbo e sopro a fumaça pela janela. Dou outra. E mais outra. Sento na privada e deixo que o crack mitigue o horror da manhã e que uma chama baixa de tranquilidade comece a se espalhar. Alguém enfim bate na porta. Dou mais uma tragada rápida no cachimbo antes de limpar o suéter e o rosto e jogar um pouco de água nas bochechas. Olho no espelho de novo e vejo que ainda pareço bem acabado. Mas agora a situação me parece mais engraçada que desesperadora. Batem de novo, eu pego minhas coisas, dou a descarga, passo pelo bar e vou para a rua sem nem olhar para os lados.

Vejo um táxi e faço sinal. O nome de um hotel relativamente novo na esquina da Park Avenue South com a rua 26 me vem à cabeça — o Giraffe — e eu mando o taxista ir para lá. "É meio longe", diz ele. Pelo menos é o que eu penso que ele diz. "O que você falou?", pergunto, e ele ri. Repito a pergunta e ele responde sarcástico: "É um prazer levar o senhor para qualquer lugar". O alívio das tragadas que acabei de dar desaparece rapidamente à medida que subimos a Terceira Avenida. Começo a me perguntar se não seria melhor sair de Nova York, mas quando penso em lugares como Flórida ou Boston, logo me deparo com o problema de não saber onde comprar crack lá. Além disso, não vou conseguir passar pela segurança de um aeroporto naquela área, certamente não o de Newark. Imagino fotografias minhas penduradas em todos eles e dúzias de Penneys me procurando nos terminais. O táxi diminui a marcha, pois o trânsito está ruim. As buzinas começam a soar ao nosso redor e eu me sinto enjaulado e vulnerável. Como se o táxi pudesse ser cercado a qualquer instante. Jogo uma nota de vinte no banco do motorista e saio dali.

O Giraffe fica a dez quarteirões dali. Começo a acalmar minha respiração, tentando me impor uma sensação de tranquilidade à medida que vou me aproximando. "Calma", repito a mim mesmo. "Calma." O hotel está vazio e tem cheiro de amônia. Tudo é muito novo e bem mais formal do que eu imaginava. Não me sinto bem ali. Mesmo assim, me dirijo a um sujeito na recepção e peço um quarto. Ele é alegre, tem vinte e poucos anos, e diz "Claro". O rapaz pede meu passaporte e começa a digitar em seu teclado, quando uma mulher mais velha surge atrás do balcão e diz que vai cuidar daquilo para ele. O rapaz parece confuso e se afasta, enquanto a mulher examina meu passaporte e a tela do computador onde ele estava digitando. "Ah", diz ela, "parece que não temos nenhum quarto disponível." O rapaz abre a boca para dizer alguma coisa, mas desiste. "Mesmo?", pergunto. "Sim", insiste a mulher, "estamos lotados até o fim do mês." Penso em retrucar, mas me dou conta de que não há nada a dizer, por isso me viro, cruzo a porta e vou para a rua, onde me deparo com as duas pistas da Park Avenue South completamente engarrafadas. Se o Soho me pareceu uma paisagem estranha, essa fatia alvoroçada e ríspida da metrópole me é inteiramente alheia. Não há um recanto, um santuário sombreado onde eu possa me esconder. O sol frio de março brilha em toda parte, reflete nos carros parados no trânsito, nos vidros das janelas que mostram imensos restaurantes de diversos andares, nas abotoaduras e nos fechos das pastas carregadas por homens de negócio impecavelmente vestidos que marcham como autômatos de uma reunião para outra. Volto à Terceira Avenida e sigo na direção sul. Mais uma vez parece que as pessoas estão abrindo caminho para mim, se afastando para me deixar passar. Lembro de um sonho que tive quando criança — sobre um piquenique na floresta e uma força invisível que magicamente erguia todos os alimentos que estavam nas toalhas, levando-os além das copas das árvores. Todos — meus pais, minha irmã, meus amigos de infância, nossos vizinhos — aceitam que a comida se foi, mas eu me recuso a largar um saco de Cheetos. Estou determinado a não perder esse saco e seguro firme, lutando sozinho contra essa mão oculta que puxa com tanta força quanto eu para arrancá-lo de mim, enquanto todos os outros se afastam. Um por um, eles voltam para a borda do campo onde estamos e se recusam a se aproximar de mim. Caminhando pela Terceira Avenida, estremeço diante da assustadora precisão do que foi previsto no sonho. Sinto-me ao mesmo tempo muito pequeno e extraordinariamente grande. Essencial e insignificante. No cerne do mundo e em sua margem mais distante.

Lembro de um prédio de apartamentos baratos construído pelo governo na rua 23, onde uma vez vi o que pensei ser um grupo de viciados. A lembrança acende dentro de mim como um facho de esperança. Recordo que o lugar ficava ao lado de uma loja de móveis usados onde anos atrás eu tinha ido procurar um tapete. Aperto o passo e, quando chego à rua 23, vou para leste, na direção da Segunda Avenida. Vejo a loja de móveis usados e, logo depois, o prédio. Também vejo — como dizer isto? — pessoas do meu tipo por todos os cantos. Andando de um lado para o outro. Encostadas nos prédios. Discutindo nos telefones públicos. Elas são tão evidentes para mim que é como se estivessem usando macacões laranja. Eu exalo e começo a relaxar. Encosto no prédio e deixo o sol bater em meu rosto. É maravilhoso sentir aquele calor e um alívio poder parar de me movimentar. Pela primeira vez naquele dia, eu me sinto seguro.

Após alguns minutos, vejo um cara que parece ser uma espécie de chefe daquele rebanho espalhado em frente ao prédio. Alguém pede um isqueiro para ele, outro lhe dá tapinhas nas costas. Ele assobia para uma mulher de meia-idade que está entrando no prédio. Pelo modo como ela ri, fica claro que os dois se conhecem. Ele tem um brilho de bondade nos olhos, mas também parece ser uma pessoa um pouco rude. O cara se agacha para fumar um cigarro num local perto de onde estou e eu me aproximo dele e o cumprimento. Conversamos durante algum tempo. Ele parece me sacar. Sacar o que está rolando comigo sem que eu precise dizer nada. Eu me sinto confortável. Confortável o suficiente para perguntar a ele se há algum lugar dentro daquele prédio onde eu possa ficar um tempo. Um lugar onde eu possa me enfurnar, descansar e ficar um pouco sozinho. "Garanto que vai valer a pena", acrescento. Eu falo, ele dá um sorrisinho, como se estivesse esperando cada palavra. Depois de um tempo ele diz: "Conheço a pessoa ideal. E não se preocupe, ninguém vai incomodar você". Ele diz que vai arranjar tudo e some rapidamente dentro do prédio.

Eu vou ao caixa eletrônico que há na loja de conveniência ali ao lado. Cerca de vinte minutos depois, ele sai do prédio e diz: "Já está tudo acertado, pode vir". Eu entro no prédio e nós vamos até uma recepção. Eles pedem para ver meu passaporte e me entregam uma folha de registro onde escrevo meu nome e o horário. Meu novo amigo, cujo nome não sei, diz ao homem velhíssimo atrás do balcão que eu estou com ele e que só estou fazendo uma visita.

Vamos de elevador até um andar alto, o décimo quinto ou o décimo sexto, e ele me pergunta se tudo aquilo vai valer a pena para ele. Eu lhe dou duzentos dólares e ele sorri e diz: "Valeu, sim".

Saímos do elevador e enveredamos por um corredor e, por algum motivo, eu não sinto nenhum sobressalto, um segundo sequer de nervosismo, desde que entrei neste prédio. Até mostrar meu passaporte e assinar aquele registro me pareceu perfeitamente seguro. Paramos diante de uma porta e ele bate de leve. Do outro lado, ouço a voz de uma mulher, alguma coisa provocando batidas surdas no chão e uma risadinha estridente. Uma mulher negra e franzina abre a porta com um largo sorriso. "Oi, então você é o rapaz de quem Marshall falou. Pode entrar." Não consigo reconhecer o sotaque dela — é um sotaque do sul do país ou *cajun*, algo assim. A mulher diz que se chama Rosie e fala para eu ficar à vontade. Meu novo amigo, que agora eu sei que se chama Marshall, pede licença e vai embora. A porta se fecha atrás dele, e eu e Rosie de repente ficamos sozinhos num apartamento que é do tamanho de três geladeiras. Sento numa namoradeira de vime cujas extremidades estão repletas de caixas, malas e sacolas e mais sacolas cheias de barbante, isopor e toalhas. Há um cheiro familiar naquele cômodo. Tão familiar que pergunto a Rosie se ela se importa se eu fumar. Com sua vozinha aguda e sotaque estranho, ela ri e diz: "Claro que não, contanto que você divida o que tem".

Parado ali naquele apartamento minúsculo, eu me pergunto como Marshall soube o que eu e Rosie tínhamos em comum. Não podíamos ser uma dupla mais improvável para quem olha, mas, num aspecto, somos iguais. Somos como aquele casal do filme *Ensina-me a viver*, só que viciados em crack. É o que penso quando Rosie pega uma caixa de metal onde guarda seus cachimbos, raspadores e isqueiros. Pego meu saquinho, e lá vamos nós, eu e ela: limpando nossos cachimbos, dando tragadas, nos drogando.

Meu saquinho logo fica vazio. Pergunto a Rosie se posso pedir que um dos meus traficantes suba ali, e ela diz que provavelmente não. Se eu quiser mais, posso lhe dar o dinheiro e ela vai comprar. Rosie faz aquilo parecer tão fácil, tão inocente. Como se só estivesse indo comprar aspirina para mim na farmácia da esquina. Então, eu lhe entrego quatrocentos dólares e ela sai arrastando os pés. A essa altura o sol já se pôs e eu estou na penumbra, pois a única iluminação vem das luzes de Natal que Rosie pendurou acima do fogão. Ela leva uma hora ou mais para voltar e, depois que eu raspo meu cachimbo (e o dela) e fumo o resto da resina, pela primeira vez desde que entrei naquele prédio começo a temer que talvez algo esteja errado. As possibilidades começam a surgir no escuro e silencioso covil de Rosie. "Será que ela roubou meu dinheiro?", eu me pergunto, mas então lembro que estou no apartamento dela, para onde ela iria? Teria que voltar para cá em algum momento. Talvez tenha sido pega enquanto comprava e esteja sendo arrastada de volta por um pequeno exército de policiais.

Começo a achar que aquilo tudo é uma armação, que Marshall é um policial disfarçado ou um dedo-duro. Só pode ser isso. Que outra explicação haveria para o conveniente aparecimento daquela doce velhinha viciada em crack, disposta a me abrigar do frio?

Mas Rosie não é dedo-duro. Até pouco tempo atrás, ela estava fumando crack debaixo daquelas luzes de Natal e me mostrando seus projetos artísticos inacabados. A certa altura eu quase vou embora, mas a perspectiva da chegada de um enorme carregamento de crack é sedutora demais para ser abandonada. Por isso fecho os olhos e aguardo.

Estou dormindo quando Rosie destranca a porta. "Aaah, desculpa ter demorado tanto. Foi meio difícil comprar uma quantidade tão grande. Mas nós conseguimos, e aqui estou eu. Acho que você vai gostar." Eu acordo e penso: "Quem é esse anjo?". Rosie acende uma vela e pede que eu passe meu cachimbo. Ela me dá outro Bombril, remexe os cachimbos e os saquinhos como se fosse uma técnica em química e finalmente me entrega o meu com uma pedra gigantesca enfiada na ponta. "Para compensar o tempo perdido", diz Rosie com sua risadinha. Eu inalo uma imensidão de fumaça e penso que ali, na casa de Rosie, é um lugar onde eu poderia morrer.

Rosie fala de Nova Orleans. Ela fala de sua mãe, que era pintora, e de todos os músicos de jazz e artistas famosos que conheceu. Suas filhas tinham talento quando eram jovens, mas desistiram da carreira. Ela não vai desistir *nunca*, diz Rosie, fazendo um gesto largo que abarca todos os sacos de material que colecionou ao longo dos anos. "Nunca se sabe do que você vai precisar", afirma, rindo. "Nunca se sabe." Rosie deve pesar menos de quarenta quilos. Ela não passa muito de um metro e meio e seu cabelo, caso ainda tenha algum, está escondido sob um lenço prateado e desbotado. Todas as suas obras estão meio ou quase prontas. "Vou só colar umas continhas aqui, e vai ficar perfeito. Esta aqui só precisa de uma rede de cabelo para prender as pontas. Um dia desses, vou pintar a madeira desta." Nenhuma delas se parece com nada, e todas estão a um ou dois passos de serem belas. As mãos de Rosie tremem violentamente quando ela pega cada um daqueles nadas quase belos e os aproxima da luz.

Após algumas horas fumando e escutando (Rosie nunca faz perguntas), eu fico nervoso. Aquele cômodo é pequeno demais. Rosie não para quieta. E eu tenho uma pequena montanha de crack no bolso que me faz acreditar que conseguirei lidar com o mundo.

Deixo cem dólares e algumas pedras com Rosie, e ela dá tapinhas em minha testa e diz: "Volte. Não se esqueça da Rosie. Volte".

Atravesso o corredor iluminado, desço de elevador e assino o registro na recepção. Vibrando de tanto fumar crack e tremendo por não comer há mais de um dia, estou consciente do quanto minha aparência deve estar arruinada. Pior do que estava de manhã.

Enquanto vou andando da forma mais lenta e tranquila possível até a rua 23, me pergunto como vou poder entrar num hotel naquele estado. É início da noite agora. As pessoas estão nas ruas, correndo para jantar em casa, a caminho da iluminação suave de seus apartamentos, onde darão comida a seus gatos ou cachorros ou pagarão suas babás. Os ônibus chiam ao descer a rua 23 e alguns caras que saíram de uma aula de caratê caminham juntos ainda de uniforme e com suas sacolas esportivas penduradas nos ombros. Meu coração está pulando no peito e o sangue corre em minhas veias com a rapidez de um raio. Eu me sinto leve como uma pluma e minhas calças insistem em cair. Não posso usar o celular, pois tenho medo de que me encontrem outra vez. Tenho pouco mais de oito mil na conta e não posso pegar um avião para lugar nenhum, me hospedar em lugar nenhum nem aparecer em nenhum lugar onde me conheçam. Não posso entrar num hotel porque dois já fecharam as portas para mim, e isso foi antes, muitos saquinhos de crack atrás, quando eu estava mais apresentável. Na esquina da rua 23 com a Segunda Avenida, fico paralisado. Para onde eu vou? Todas as direções são erradas. *Para onde?*

Há um instante

Noah e eu estamos prontos para passar algumas semanas de férias na cidade de Cambridge, em Massachusetts. Telefono para o meu amigo Robert, cujo linfoma recentemente começou a regredir, para ver como ele está. Robert parece estar ótimo. Sua voz é uma mistura da voz de Truman Capote e Charles Nelson Riley. Ele foi um dos primeiros editores que me telefonaram quando eu era um jovem agente para me convidar para um almoço. Tem quarenta e poucos anos, é claramente gay, muito inteligente e perversamente engraçado. Após aquele almoço, passamos a nos falar algumas vezes por semana sobre o trabalho, sobre autores que tínhamos em comum, sobre fofocas do meio editorial. As referências de Robert — tanto as profissionais quanto as literárias — muitas vezes passavam batido por mim, eu fingindo que as entendia. Tenho certeza de que ele percebia, mas nunca falava nada.

Ao telefone, Robert me conta que vai ter que se internar de novo por causa de um problema nos pulmões. "Nada sério", afirma ele. "Não se preocupe." Fico um pouco assustado e, quando pergunto de novo, ele insiste que não é nada, que é um procedimento de rotina.

Nós vamos para Cambridge. Noah e eu lemos, vemos filmes no The Brattle, bebemos litros de café, passeamos e visitamos Harvard e todas as casas lindas espalhadas pelo campus. O de sempre. Então, uma manhã, um dos colegas de trabalho de Robert liga para contar que ele morreu. Foi para o hospital e acabou descobrindo que estava com pneumonia.

Embora eu conhecesse Robert há quatro ou cinco anos, me encontrasse com ele a cada dois ou três meses e nos falássemos muito por telefone, não posso dizer que éramos próximos. Ele fazia parte da minha vida profissional, e de uma parte definitivamente divertida. Até onde eu sei, sua luta contra o linfoma durou anos. Robert nunca contava muitos detalhes sobre isso, pelo menos não para mim. O tratamento dele ficara muito agressivo durante algum tempo, ele passara diversos meses sem trabalhar, mas depois a doença parecia ter recuado para valer. Robert tinha viajado à Europa para ir à ópera e voltou a mergulhar em seu emprego de editor. Tudo voltara ao normal.

Desligo o telefone e, após alguns momentos de espanto e imobilidade, começo a soluçar. Passo dias chorando, sem conseguir me conter — durante o jantar, durante os passeios por Cambridge, no chuveiro, na academia. Choro descontroladamente. A última vez que me lembro de ter chorado foi no hospital com minha mãe, uns três ou quatro meses antes. Depois de algum tempo as lágrimas cessam, mas a realidade de jamais ver ou ouvir Robert de novo se instala em meu peito e não sai mais de lá.

Voltamos para Nova York perto do Dia do Trabalho. Vai haver um funeral para Robert no dia 10 de setembro no University Club.

Um escritor com quem eu trabalho pega um avião para Nova York no dia 9. Robert editou e amou o romance dele, que será lançado no dia seguinte, 11 de setembro. Nós vamos ao funeral e ouvimos os escritores com quem Robert trabalhou contar histórias sobre a maneira brilhante como ele editou os livros deles. Sobre como cuidava bem deles. Sobre como era engraçado. As palavras deles fazem com que eu me sinta sozinho. Vamos ao L'Acajou e começo a beber imediatamente. Copo atrás de copo. Bebo vodca como se fosse água e sinto meu rosto arder com o calor de todo aquele álcool no sangue. Peço licença para ir ao banheiro, telefono para Julio e o mando ligar para o traficante dele, dizendo que estou indo para lá levando dinheiro vivo. Mais tarde, depois de pagar a conta, eu me despeço, entro num táxi, corro para o prédio de Julio e ando de um lado para o outro dentro do elevador que vai subindo lentamente até o andar dele.

Essa noite vai passar num átimo. Chego em casa um pouco antes das oito, mas Noah já saiu. Não há nenhum bilhete no bar. Tenho uma vaga impressão de que um editor estrangeiro — alemão? Holandês? Não consigo me lembrar — marcou de ir ao meu escritório. Tomo banho, me visto e subo a Quinta Avenida até a agência, e minha cabeça lateja por causa de toda a vodca que bebi na noite anterior, e o céu sem nuvens é do azul mais extraordinário que já vi. Quando passo a rua 14, vejo um jovem editor que conheço atravessar a Quinta Avenida correndo numa camisa muito branca. Eu me pergunto por que ele está correndo tão rápido.

Quando entro na agência, todo mundo está lá. Um amigo me liga e conta que as Torres Gêmeas acabaram de ser atacadas. Quase imediatamente, todos no meu escritório e nos outros escritórios do nosso andar, além de todas as pessoas que estão nos telefonando, ficam histéricas, e o site da CNN mostra uma imagem de uma das torres envolta em fumaça. Os boatos vão crescendo e a atmosfera é de caos e medo. Noah me liga. Chorando. Pergunta se estou bem, não menciona a noite passada e diz que está vendo as torres da janela de seu escritório no Soho. Combinamos de nos encontrar em nosso apartamento mais tarde.

De repente, lembro que o que eu havia marcado de fazer aquele dia era cortar o cabelo com Seth. Ligo para ver se ele tem horário. Seth me manda ir para lá. Meu cabelo está grande demais e, como estou muito pálido e com os olhos vermelhos, creio que está mais óbvio do que o normal que passei a noite em claro. Acho que lavar e cortar o cabelo vai ajudar, e pego minha carteira para sair. Minha assistente pergunta aonde eu vou e, quando respondo "Cortar o cabelo", ela fica me olhando atônita.

Quando estou atravessando a rua 25 na direção oeste, um avião passa tão baixo que os prédios em redor tremem, e eu me agacho na calçada, cobrindo a cabeça com os braços. Esse foi o único momento do dia em que não me senti indiferente. As outras coisas serão surreais e distantes, como se eu as estivesse vendo numa tela ou através de lentes bem grossas.

As duas torres ainda estão de pé quando chego à Sexta Avenida. Eu me demoro alguns segundos lá antes de atravessar a rua 22 para ir ao salão de Seth. Por todo o lado, as pessoas estão em silêncio. Elas se movem devagar, com cuidado. Têm receio umas das outras.

O salão de Seth está vazio, e nós ouvimos rádio enquanto ele lava meu cabelo e o corta devagar. Eu me pergunto se ele pode ver o quanto estou contaminado, o quanto estou agitado por causa da noite anterior. Em vez de fofocar como sempre, nós mal nos falamos, e não dizemos nada quando o rádio informa que a primeira torre veio abaixo. O telefone de Seth toca, mas ele deixa a secretária atender. Ele leva mais de uma hora para cortar meu cabelo, e eu acho que é porque não quer ficar sozinho. Fico grato por estar ali, naquela cadeira, a salvo.

Deixo o salão e vou de novo para a Sexta Avenida, onde uma multidão está parada na esquina, olhando para o sul. Algo me parece desequilibrado e sinto uma leve tontura ao seguir os olhares até a confusão irreconhecível de prédios ali. As torres ruíram. Há uma hora estavam ali, pegando fogo, envoltas em fumaça, e agora desapareceram. "Elas estavam aqui há um instante", diz alguém, enquanto tento localizar o ponto exato onde as torres ficavam. Mas, em meio àquela nuvem de fuligem e fumaça que paira sobre aquele borrão de prédios que, agora, poderiam ser de qualquer cidade, não consigo me lembrar onde elas estavam nem de como as coisas eram. Eu já esqueci.

Onde

Quando Noah está viajando: em casa.

Quando Noah está em casa: na casa de Mark, de Julio ou de qualquer agregado deles. Em hotéis.

Caso eu esteja entre minha casa e outro lugar: no banco traseiro dos táxis; no banheiro do saguão do Número Um; na escada do Número Um, entre o quinto e o sexto andar; na cabine de vídeo da loja de filme pornô da rua 14 entre a rua 6 e a rua 7, ou na outra que fica na esquina da rua 44 com a rua 8, perto do restaurante Orso; no banheiro do L'Acajou; no banheiro da loja da VisionCare, na Quinta Avenida; no banheiro do McDonald's na rua 7, depois da rua 14; na escrivaninha do meu escritório; no banheiro do meu escritório; na escada do prédio onde fica meu escritório; no Central Park, atrás das árvores e no banheiro perto do Teatro Delacorte; na Westside Highway, debaixo de alguns arbustos; atrás de latas de lixo; nos porões de prédios em construção, atrás de uma lata de lixo, dentro de uma lata de lixo, onde quer que eu consiga.

Em Londres: no Charlotte Street Hotel, no banco de trás dos carros alugados (não dos táxis pretos), atrás das sebes no começo do parque Highbury Fields.

Em Paris: num banco da Place des Vosges, na cama de um bordel; no banco de trás de um táxi dirigido por um cara que te dá um saquinho cheio de haxixe de graça; na escada do prédio de apartamentos; nos banheiros de diversos bares e cafés.

NÃO ESQUECER

Quando em trânsito, deixe o cachimbo esfriar antes de enfiá-lo no bolso, ou ele vai fazer um buraco em sua calça.

O ano de Jesus

Esse é o ano em que eu passo mais noites fora de casa. O ano em que encontro mais bilhetes deixados no bar de nosso apartamento, em que tenho mais manhãs destroçadas, em que descumpro mais vezes a promessa de beber só dois copos de vodca no jantar, em que esqueço mais vezes a resolução de parar de ligar para Rico, Happy, Mark, Julio ou qualquer outra pessoa que possa me levar a me drogar, em que dou mais telefonemas para o meu assistente dizendo que estou doente, em que minto mais.

Faz mais de três anos que minha mãe fez sua cirurgia e um ano que parou a quimioterapia. É nesse ano que Noah faz seu filme em Memphis. A agência está indo bem. Estamos tendo lucro, e diversos livros que eu vendi não apenas foram alvo de acaloradas disputas para ver quem dava mais entre os editores como também tiveram trechos publicados em lugares como a revista *New Yorker*, e foram resenhados em todo canto, sendo que um deles foi capa da *The New York Times Book Review*, a revista semanal de críticas literárias do jornal. E haverá um livro, um livro querido, que vai surgir como o milagre cintilante de uma ousadia mágica e se tornará finalista do National Book Award.

Antes da indicação ao prêmio, antes da publicação, haverá um almoço no La Grenouille, um restaurante francês da rua 52 leste. Convido uma conhecida, uma quase amiga, a comparecer. Jean, que nunca almoça. Jean, que conheci no saguão do hotel Frankfurterhof quando eu tinha vinte e cinco anos e que, ao longo dos anos seguintes, me convidou para lançamentos de livros e outros eventos em sua cobertura com terraço e vista para o East River. As festas de Jean têm sempre uma curiosa mistura de inacreditável sucesso com fama, dinheiro, paixão política e uma genuína estranheza. Às vezes são jantares íntimos, às vezes mesas em eventos beneficentes. E, à medida que os anos passam, há sempre um lugar na mesa para mim. Mas cada vez parece que será a última. Aquela em que eu vou dizer alguma coisa que porá por terra qualquer ilusão errônea que Jean possa ter de mim, revelando o fraudulento imbecil que eu sou.

Portanto, convido Jean para o almoço no La Grenouille. Convido-a porque o livro que ela escreveu sobre a árdua e fabulosa ascensão e queda de uma patricinha é um dos preferidos da autora do Milagre Cintilante. Convido-a por seu glamour intelectual, porque ela é importante para a autora, e também por ser amiga do Lendário Editor da autora. Por todos esses motivos, e porque Jean já me convidou para tanta coisa, e porque quando ela está por perto, por mais incrível que pareça, eu me sinto amado, eu a convido para o almoço. Surpreendentemente, ela aceita, e eu me animo, pois sei que trará uma rara energia ao evento, que, como todos desse tipo, só está sendo organizado com o objetivo de gerar a energia necessária para o lançamento de um novo foguete literário à estratosfera. Levamos meses planejando esse almoço.

Um amigo generoso da autora concordou em pagar tudo e, devido à elegância do restaurante, à influência do Editor Lendário e ao esforço de todos os envolvidos, um grupo extraordinariamente augusto de sumidades do mundo editorial confirmou presença.

Por que certas coisas brilham no horizonte como se tivessem sido salpicadas de pó de fada, enquanto outras não? Esse almoço, anotado em tinta azul com meses de antecedência, faísca na minha agenda toda vez que eu a abro para escrever algo naquela página ou na seguinte. Enrubesço de excitação toda vez que algo associado a ele passa pela minha cabeça ou pela minha escrivaninha: o livro em si, Jean, La Grenouille, o Editor Lendário — tudo isso compondo a promessa dourada de algo abençoado.

Preciso de um terno e, num ímpeto temerário, vou à Saks e escolho um azul-marinho e preto com listras muito claras da Gucci que custa mais de três mil dólares. É a peça de roupa mais cara que já comprei na vida. Quando o experimento no provador, por um segundo não me reconheço. Pareço alguém que possui dúzias de ternos, dúzias de pares de sapatos para combinar com eles, e dinheiro para gastar com tudo aquilo. Não se reconhecer num espelho é como ver uma fotografia que alguém tira de você numa festa e invejar aquela pessoa despreocupada e atraente que parece se sentir à vontade em qualquer lugar, olhando você na fotografia, do outro lado da distância intransponível que separa seu mundo do dela; você vê aquele sortudo filho da mãe que, você imagina, jamais teve um instante de constrangimento, insegurança ou vulgaridade na vida, e imediatamente odeia toda aquela confiança. E então se dá conta de que ele é você. Não pode ser, você tem certeza de que não é. Mas quando vê que ele está com suas roupas e, isso, meu Deus, isso, que ele tem a mesma orelha grande de abano de um lado e a outra, menor, colada na cabeça; quando você vê que é mesmo você, pensa por um segundo: será que outra pessoa pode tirar as mesmas conclusões erradas sobre aquele você que não é você? Isso o abala por um momento e você conclui que, de algum modo essencial, aquela pessoa que o encara na fotografia na verdade é outra. Ou melhor, não existe. O ângulo da fotografia e a mentira que ela cria é como aquele terno. Por isso, se você está num provador olhando no espelho e vê alguém parecido com a pessoa daquela fotografia, você compra o terno. Pois, já que aquela pessoa não existe, pelo menos deve parecer que existe.

Dois dias antes do almoço, estou jantando. Não me lembro com quem, mas tenho certeza de algumas coisas. Estou no L'Acajou. Estou bebendo vodca. Os garçons e as garçonetes passam a noite enchendo meu copo. Uma tranquilidade se espalha em meu peito a cada drinque que bebo e, aos poucos, a sinfonia de preocupações que sempre ouço vai morrendo. Quando esses instrumentos cessam, e depois que o breve período de calma começa a se esvair, outros sons surgem no fosso. Cordas agitadas. Trompas violentas. Aquele desejo irritante e indócil que parece uma necessidade. Eu falo, escuto, bebo e rio, enquanto movo minha batuta de maestro, ordenando que os instrumentos se calem. Mas à medida que vou regendo, mais vou bebendo, e à medida que vou bebendo mais altos ficam os sons, mais insistentes eles se tornam, e eu peço licença, vou ao banheiro e ligo para um número. Dessa vez é o de Mark, e combino de ir à casa dele depois do jantar. Durante um segundo, me preocupo com o fato de que o almoço para a autora do Milagre Cintilante é dali a dois dias e que preciso estar em forma para ele. Mas ainda há dois dias inteiros, penso. Mesmo se eu ficar acordado a maior parte da noite, ainda vou ter vinte e quatro horas para me recuperar.

Vou à casa de Mark e embarco num redemoinho de fumaça, sexo e outras pessoas, e quando a manhã chega, dessa vez não quero que acabe. O almoço é no dia seguinte, mas, por algum motivo, ele me parece estar bem longe. Um dia, uma noite e uma manhã inteiras até lá. Vai dar certo. Sempre dá certo. Mas essa é a primeira noite que quer virar duas noites. Por que essa e não as outras? Olho minha agenda daquela época e ela está coberta de tinta de caneta. Anotações sobre reuniões em almoços, encontros em cafés, telefonemas marcados, drinques combinados, viagens para Londres, Los Angeles, Frankfurt. Casamentos, aniversários, festas beneficentes, peças, óperas, lançamentos de livros, estreias de filmes. Preciso ir a tantos lugares, me camuflar tanto, me preocupar tanto. Não há época mais intensa do que aquele ano, quando tenho trinta e dois e trinta e três anos. O iluminado ano anterior ao ano de Jesus. Alguém — será que foi Marie? — sempre brincava, dizendo que o ano em que fazemos trinta e três é o ano de Jesus, marca o fim de uma vida e o começo de outra, o fim da juventude e o começo da indiscutível idade adulta. Mas eu tinha vinte e quatro quando Marie fez trinta e três, e a idade adulta parecia que ainda ia demorar a chegar.

Por que exatamente aquela noite virou três? Por que todas as coisas que para todas as pessoas, e até para mim, pareciam ser auspiciosas, invejáveis, me davam a sensação de ser fardos? Foi o ano em que me cansei, o ano em que comecei a desistir. Foi quando a batuta quebrou e os sons do fosso subjugaram o maestro e engoliram o teatro.

Saio do apartamento de Mark ao meio-dia e vou para um pequeno hotel na esquina da agência. É um hotel barato, pouco mais que um albergue, e vou para lá porque o apartamento de Mark é sujo, defumado e exposto demais. A paranoia e o nervosismo que vejo na maioria dos usuários de crack que conheço começaram a me afetar nas últimas três ou quatro vezes que fumei. Nesse dia a sensação é mais incômoda, mais persistente e, enquanto estou no apartamento de Mark, fico na janela vendo o que penso ser carros não identificados da polícia estacionados diante do prédio dele. Quando amanhece, preciso ir embora dali. Tenho o telefone de Rico e estou quase certo de que consigo convencê-lo a fazer mais uma entrega à tarde. E ele faz. Passo a noite em claro, apenas eu e as reprises do datado e encardido programa de tevê a cabo da Robin Byrd, em que garotos e garotas de programa já meio velhos tiram a roupa e deixam Robin fazer sexo oral neles. O programa acaba, mas eu deixo naquele canal a noite toda. Assisto a anúncios baratos de disque-sexo, com homens e mulheres nus e seminus seduzindo a câmera com a promessa de sacanagem por telefone. O quarto dá para um beco e eu me debruço na janela e observo os reflexos de luz que saem dos outros quartos. De vez em quando aparece a silhueta de um homem ou de uma mulher na parede de tijolos, e eu imagino um milhão de enredos. Às vezes, um som — um estalo baixo, um arrastar abafado, uma janela sendo fechada com força — ecoa pelo beco e, de vez em quando, eu grito "Olá" pela janela.

A manhã chega rápido, e às dez me dou conta de que preciso ir para casa vestir o terno para o almoço no La Grenouille. Noah me deixou dúzias de recados e eu só lhe dei um telefonema há duas noites dizendo que estava vivo e bem, e que não era para ele se preocupar. Ainda tenho um grande saco de crack que sobrou da noite anterior, e ele me conforta quando começo a pensar no dia que terei pela frente. Reservo o quarto por mais um dia e pego um táxi para ir até o Número Um buscar meu terno. Graças a Deus, Noah não está no apartamento, então pego o terno, o sapato preto e as meias e saio correndo dali e volto para o hotel onde eu estava. Já é meio-dia, e o almoço é à uma da tarde. Mal posso acreditar que desapareci por duas noites e um dia inteiro. Noah deve estar enlouquecido de preocupação. Mas, mesmo sabendo disso, não telefono para ele, não tento encontrá-lo para lhe dizer que estou bem. Deixei uma mensagem na caixa postal do meu assistente às oito da manhã, dizendo que eu ia direto para o almoço; então essa parte está resolvida, pelo menos por enquanto. Mas o almoço! Ah, meu Deus, como posso ir neste estado? Sento na cama, coloco uma pedra grande da noite anterior no cachimbo queimado e oleoso e inalo. Meu terror por causa do almoço, de Noah, do meu escritório e de tudo o mais desaparece como uma chama subitamente sem oxigênio para alimentá-la. Rolo na cama e deixo que aquele clarão de eletricidade tépida percorra meu corpo. Fico deitado pelo que me parecem ser apenas alguns minutos, mas, quando volto a me levantar, já é uma e cinco. O almoço. O evento feliz e cintilante que me seduziu como uma sereia por meses já começou, e eu ainda não tomei banho, não me barbeei, e estou drogado e magro demais por andar fumando crack, bebendo qualquer coisa que aparece na frente e não me alimentando. Dou outra tragada e corro para o chuveiro. Já são quase duas horas quando saio do hotel e pego um táxi. Depois de ter tomado banho, feito a barba e colocado o terno, me olho no espelho e, Deus me ajude, me convenço de que estou bonito. Estou com as faces um pouco encovadas e um pouco trêmulo, mas o terno, para não falar do saquinho, do cachimbo e do isqueiro que levo no bolso do paletó, me dá um fio de esperança de que vou conseguir me virar nas próximas horas.

Chego lá, vou direto para o bar e bebo uma dose enorme de vodca. O almoço é no segundo andar, numa sala privada adjacente à qual há um pequeno banheiro. Eu me atiro nesse banheirinho dourado e tento freneticamente colocar uma pedra no cachimbo.

Minhas mãos estão tremendo, pois já faz mais de vinte minutos que dei minha última tragada no hotel, e mal consigo manter a chama do isqueiro acesa. Inalo e seguro a fumaça até meus pulmões arderem. Lavo as mãos, enxáguo a boca com sabão para disfarçar o cheiro e sopro o cachimbo para esfriá-lo antes de embrulhá-lo em papel higiênico e colocá-lo no bolso do paletó.

Na sala há uma enorme mesa com flores e provas do livro arrumadas com todo o capricho. Aparentemente, as pessoas acabaram de sentar. Houve uma espécie de coquetel antes do almoço então, por sorte, minha ausência não foi tão sentida quanto seria se todos tivessem se sentado à uma hora. Jean levanta quando eu entro. "Acabei de chegar! Me desculpe o atraso!", diz carinhosamente. Ou seja, Jean nem sabe que eu me atrasei. Outro milagre. Sem saber bem como, consigo conversar com a autora, com seu Lendário Editor e com algumas outras pessoas. Depois, me sento à mesa ao lado de Jean e o evento se desenrola sem minha ajuda e sem nenhuma controvérsia aparente por causa do meu atraso. Digo a todos que estou gripado e não me sentindo muito bem. Invento uma história para Jean sobre um problema de família que precisei resolver, e ela se arrepia de uma genuína preocupação por mim. Peço licença duas vezes durante o almoço para virar doses de vodca no bar do andar de baixo e me esconder no banheiro para fumar. Despeço-me de todos lá pelas três e meia, perambulo pela Quinta Avenida e, quando vejo um homem de trinta e poucos anos distribuindo folhetos para uma loja outlet de roupas masculinas, reconheço algo nele e pergunto se ele usa alguma coisa para se divertir. Quando ele diz que sim, eu pergunto: "Você fuma pedra?". Ele dá um sorriso e diz, rindo "Ih, cara".

Não vou lembrar o nome desse homem, mas vamos nos tornar grandes amigos rapidamente. Procuramos um táxi juntos para voltar ao hotel na rua 24, mas não encontramos um. Uma van para no sinal bem ao meu lado e eu pergunto ao cara que está dirigindo se ele nos daria uma carona. Por incrível que pareça, ele diz que sim. Meu novo camarada — que atirou seus folhetos numa lata de lixo — dá uma risadinha na parte de trás da van e, por um momento, ele é Kenny no meio do bosque com uma garrafa de uísque, Max no estoque preparando carreiras de cocaína, Ian brandindo um extintor de incêndio. Dou uma risadinha também, radiante por ter deixado o almoço para trás e estar do outro lado da fronteira que separa a mim e ao meu novo amigo do resto do mundo. A van chacoalha, descendo a Quinta Avenida. Crack no bolso, cúmplice ao meu lado, chave de um quarto de hotel na mão, e uma noite inteira pela frente.

A tarde e a noite passam. Nós não transamos, embora eu queira. Rico aparece às dez com mais crack, e a droga acaba completamente às quatro da manhã. Meu camarada começa a ficar inquieto e desaparece. Pede cinquenta pratas para pegar um táxi até o Harlem e eu lhe dou quarenta. Sozinho, fumo as poucas migalhas que eu havia escondido. Sozinho, raspo o cachimbo quebrado para obter o resto da resina e deixo-o todo enegrecido tentando sugar a última gota de veneno dele. Sozinho, olho pela janela e me pergunto se estou num andar alto o suficiente para morrer se eu pular no poço de ventilação. Quarto andar. Nem de longe.

E então, como não há mais nenhum pensamento, ação ou migalha de crack para me atrapalhar, eu lembro de uma coisa: Noah. Não consigo aguentar e pego o último cachimbo queimado do cinzeiro para ter certeza de que não tem mais nada lá. Examino o chão para ver se há um derradeiro pedacinho de crack chutado para a borda do carpete, esperando que ao resgatá-lo ele possa me resgatar também. Mas não há nada. Não sobrou coisa alguma além de mim mesmo e da consciência de que não telefono para Noah há três dias. São sete da manhã, estou sozinho num quarto de hotel depois de três dias fumando crack sem parar. Estou num território que não me é familiar, e apavorado. Sinto-me como se houvesse sido pego por um tornado e cuspido para fora aos pedaços. Por que fui beber tanto naquele jantar no L'Acajou três noites atrás? POR QUE, meu Deus, POR QUÊ? Eu já tinha me feito essa mesma pergunta centenas de vezes na chegada cruel de centenas de manhãs e, como sempre, não havia resposta. Arrumo a bagunça, apanho meus poucos pertences e, caminhando, desço a Quinta Avenida nessa manhã escura e silenciosa, em direção ao lugar que ainda espero poder chamar de casa.

Noah não está no apartamento. Ligo para ele e deixo um recado dizendo que estou em casa, na cama, a salvo. Que sinto muito, e que essa foi a última vez. Que eu o amo. Adormeço pelo que me parecem ser poucos minutos, mas que na realidade são três ou quatro horas. Noah me acorda em algum momento da tarde. Tem lágrimas nos olhos e fala num tom mais gentil do que eu poderia esperar. Estou deitado na cama e ele me abraça e me dá tapinhas nas costas como se eu fosse uma criança precisando de consolo. Noah parece preocupado, e sei que algo não vai bem. "Tem algumas pessoas aqui querendo te ver", diz ele, e eu logo concluo que, depois de todo esse tempo, depois de todas essas noites e manhãs, a farsa foi descoberta. "Quem?", eu pergunto, e ele me conta que minha irmã Kim, David e Kate estão na sala de estar. O mundo para de repente. O tempo para. Não posso acreditar que todos eles sabem. Que estão ali. Noah segura minha mão e eu fico grato por seu carinho. Por ele não estar me abandonando. Mas o horror do que está acontecendo me descompõe e fico dormente com o choque. "Vamos", insiste Noah. Com sua ajuda, coloco meu roupão e saio arrastando os pés do quarto, a caminho da sala. Noah coloca a mão em meu ombro quando eu abro a porta e os vejo, sentados ao redor da mesa de centro na sala inundada de sol, com os rostos erguidos, me vendo pela primeira vez.

Eu não protesto, ainda não. Fico em silêncio e coopero enquanto um de cada vez — Kim, Kate, Noah, David — me dizem que vão me apoiar se eu tentar largar o crack, mas que não vão me apoiar nem ter mais nada a ver comigo se eu continuar fumando. Correm muitas lágrimas, e sinto que estou debaixo d'água e que as palavras deles precisam nadar uma longa distância para me alcançar. Há um carro parado lá embaixo, passagens de avião já compradas para me mandarem para um centro de reabilitação em Oregon, malas prontas e um leito à minha espera. O ex-policial, ou o ex-Boina Verde do Exército, ou ex-professor de ginástica do colégio que está ao lado deles com seus músculos e braços cruzados e que vocifera para mim em tom ríspido é alguém que instintivamente sei que devo ignorar. Não olho para ele, não falo com ele nem interajo com ele de forma alguma, e concordo em ir ao aeroporto contanto que ele não vá junto. Então, nós vamos. Noah, Kate e eu entramos no carro e vamos para o La Guardia. É começo de tarde e, quando chegamos ao terminal, digo que preciso comer e peço ovos e uma garrafa de vinho branco. Bebo tudo e mal toco na comida. Tomo vodca no voo para Oregon, enquanto Noah e Kate me observam em silêncio ou dormem.

O centro de reabilitação fica a uma hora de Portland e parece uma pequena escola do ensino fundamental aninhada em meio a colinas e campos repletos de vinhas. Não chove nem uma vez enquanto estou lá, e o céu é de um imaculado azul-escuro que se torna róseo perto do fim do dia e escarlate quando o sol se põe. Meu colega de quarto é um neurocirurgião de Los Angeles viciado em remédios que recebe diversas vezes a visita da sua linda namorada sueca, que nos leva para passear de carro em Portland e no litoral. E há outros caras também — o motorista de ambulância aposentado de Washington que bebia até desmaiar todas as noites e passava semanas sem dirigir uma palavra a outro ser humano; o menino rico e tagarela de Nova York que usava agasalhos de ginástica dourados da Adidas e falava como um mafioso; o viciado em *speed* assustado do San Fernando Valley que cobriu o porão de papel-alumínio para enganar a polícia federal e a polícia civil, que, ele tinha certeza, vigiavam cada movimento seu. Eu entendo todos eles. No segundo ou terceiro dia, após dúzias de telefonemas suplicantes para Noah, Kate e minha irmã, todos tentativas fracassadas de voltar a Nova York, eu finalmente aceito o fato de que estou num centro de reabilitação, preso. Quando paro de tentar voltar para casa, fico impressionado com o quanto me sinto à vontade com aqueles caras, como me sinto igual e como é revigorante ser honesto com tudo pela primeira vez. Todas as noites caminho sozinho num campo tranquilo e vejo o céu escurecer e se pintar de rosa e vermelho. Ando por esse campo e sinto medo de voltar a Nova York, preocupado com o que as pessoas vão pensar. Mas, depois de algumas semanas, começo a me sentir esperançoso.

Eu me ofereço para ficar no centro de reabilitação por mais uma semana — em parte porque quero provar a Noah e Kate que levei aquilo a sério, mas acima de tudo porque, na quarta semana já estou profundamente enredado naquela comunidade de pacientes e conselheiros. Não tenho pressa de abandonar esse processo de me desembaraçar dos muitos segredos que passei uma vida guardando e segurando com força, e cujo peso eu não suportava mais nos ombros.

Numa discussão em grupo realizada numa manhã, falo pela primeira vez, depois das consultas do dr. Dave, sobre a minha dificuldade em fazer xixi. Após a discussão, outro cara, um banqueiro de San Francisco que tem quatro filhos, me conta que teve o mesmo problema quando criança. Dois dias antes de eu voltar para casa, esse homem foge do centro de reabilitação, tem uma recaída se enchendo de tequila numa casa de striptease no fim da rua e é convidado a se retirar da clínica.

Quando volto para Nova York, minha mãe me liga dizendo que quer me ver. Adio o encontro por quase um mês, mas acabo concordando em almoçar com ela. Nesse dia, ela chega uma hora e meia atrasada. Minha mãe finalmente aparece e, depois que pedimos a comida, descreve as gerações de alcoólatras e viciados da família dela e da família do meu pai, revelando que tive muitos antepassados parecidos. Apesar da minha irritação inicial por seu atraso, fico surpreendentemente relaxado com ela e sinto que parte de nossa velha intimidade retornou. Pergunto se posso comentar uma coisa da minha infância, uma coisa sobre a qual nunca conversei com ninguém da família e de que só me lembrei recentemente. Minha mãe diz que sim, mas, antes que eu possa pronunciar a palavra "xixi", ela ergue a mão e sacode a cabeça. Digo mais algumas palavras, mas ela agora está chorando e me perguntando se eu quis almoçar só para acusá-la de ser uma péssima mãe. Atônito com aquele acesso, digo que só preciso que ela me conte se lembra de alguma coisa, que confirme que aquilo aconteceu, pois eu só tenho uma pilha de lembranças caóticas despertadas por um psicólogo. Por entre lágrimas, minha mãe diz algo que me parece ser "Eu não vou falar sobre isso, foi seu pai que...". A última coisa que me lembro é dela perguntando se eu faço ideia de como foi difícil aquela época para ela, do pesadelo que foram aqueles anos. Respondo que sim, que ela sempre fez questão de nos dizer como tudo era difícil para ela, e minha mãe vai embora do restaurante. Vou atrás dela e vejo-a entrar num táxi sem se dirigir a mim. Volto ao restaurante, pago a conta e, quando estou a três quarteirões do meu escritório, vejo que perdi a carteira, as chaves e os óculos escuros.

Entro num programa de apoio a viciados que nunca termino, acato a sugestão de parar de beber que me deram no centro de reabilitação, mas depois a abandono, falo ao telefone algumas vezes com meu colega de quarto e alguns dos outros caras — aqueles que, poucas semanas antes, tinham sido uma família para mim — e então, menos de um mês depois de eu voltar para casa, perco o contato com todos eles.

Acho que está tudo resolvido. Eu me jogo de cabeça no trabalho, na agência, nos escritores que represento, e aqueles afazeres todos parecem um bom lugar para me refugiar, algo que vai me proteger da tentação. Vejo pessoas bebendo em jantares e festas e, no início, fico aliviado por não precisar mais fazer isso. Mas, à medida que os meses passam, vou ficando ressentido. Breves fantasias de que estou fumando crack surgem como balões de histórias em quadrinhos, principalmente quando estou sozinho e no fim de dias longos de trabalho, nos quais dormi pouco na noite anterior ou em que não tive tempo de almoçar e me sinto fraco de fome. Em outubro, encontro um velho cachimbo enfiado no bolso de um blazer pendurado no closet de nosso quarto. Escondo-o em diversos lugares diferentes e rodeio-o por semanas, até que por fim raspo a resina e dou uma tragada. Sinto apenas a sombra de uma onda, que morre rapidamente com o pânico de eu ter tido uma recaída. Ela acaba assim que começa, e Noah me vê um segundo depois de acontecer e concorda em não contar a ninguém. Escondo o cachimbo, levo-o para o escritório e, não sei como, acabo perdendo-o. Passo semanas temendo que alguém no trabalho — minha assistente, Kate, a faxineira — o tenha encontrado e esteja esperando para me confrontar. Ninguém faz isso.

E então, sete meses depois, um pouco antes de eu ir para a cidade de Park City, em Utah, para o Festival de Sundance, combino de me encontrar uma noite com Noah para comermos sushi no Japonica. Na manhã do dia anterior a esse jantar, a ideia de fumar crack surge num balãozinho, mas, em vez de espantá-la como sempre faço, a mantenho por perto. Fico pensando por tanto tempo que acabo me perguntando: Por que não? Noah vai viajar amanhã e eu terei quase dois dias inteiros sozinho. Tenho trabalhado duro, tudo está indo bem, ninguém vai suspeitar de nada. Em alguns segundos, estou no celular, ligando para Stephen pela primeira vez em quase um ano. Havíamos parado de chamá-lo para trabalhar em nossas festas, mas, embora no centro de reabilitação tenham me aconselhado a apagar todos os contatos relacionados com crack no meu celular, eu ainda tenho o dele. Stephen atende ao primeiro toque e combinamos de nos encontrar mais tarde, na esquina do prédio onde fica minha agência. Às seis, eu desço e o encontro encostado na fachada do prédio. Está mais magro, mais velho. Eu mal o cumprimento, embora ele pareça ansioso para bater papo. Dou-lhe quatrocentos dólares para comprar crack e mais duzentos por fazer o trabalho sujo, e combino de encontrá-lo no dia seguinte. Não quero voltar a me associar a Stephen de jeito nenhum, mas comprar através dele me parece menos errado. Contanto que eu não volte a ligar para os traficantes, raciocino, contanto que não me lembre dos telefones deles, esse pequeno prazer só vai acontecer mais essa vez, será apenas uma lembrança do passado, umas férias inofensivas porém necessárias.

Formigando de avidez, no dia seguinte encontro Stephen na mesma esquina. Dessa vez, ele não está para conversa. Entrega-me um saquinho marrom cheio de crack e cachimbos. Agradeço, entrego o dinheiro e volto correndo para o escritório.

Planejo fumar o conteúdo do saquinho na noite seguinte, depois que Noah for embora, um dia e meio antes de ir encontrá-lo em Utah para a estreia de seu filme. Isso pode dar certo, penso, vai ser só uma pequena relaxada, um nada, uma inofensiva válvula de escape. Em meio a esse raciocínio errado, também existe a certeza de que aquilo vai acabar mal, de que sempre acaba, de que eu estou colocando balas numa arma e apontando-a para minha têmpora. Mas a voz que me diz isso, em vez de me dissuadir, se torna parte da persuasão. Do outro lado desse saquinho está um dia de ressaca e a volta à vida normal sem consequências, ou uma espécie de apocalipse. A perda de nada ou a perda de tudo. E perder tudo me parece um alívio.

Volto à agência e dou alguns telefonemas, me despeço dos meus colegas que estão indo para casa e vejo que tenho duas horas até o jantar com Noah. Duas horas. Se eu der só uma tragada agora, a onda vai passar antes disso. Por que não? Saio da minha mesa e tranco a porta do escritório. Encontro um isqueiro na gaveta da mesa de meu assistente, volto à minha própria mesa, sento, pego o crack do bolso do paletó e deixo os dois saquinhos plásticos na mão. Pego o cachimbo limpinho e transparente — muito mais leve do que eu me lembrava. Sinto que estou sonhando quando quebro um pedacinho cor de creme da pedra e coloco-a no cachimbo. Não acho que aquilo esteja acontecendo de verdade quando acendo o isqueiro e movo a chama na direção do cachimbo. Não sinto que estou fazendo nada de errado naqueles primeiros segundos após exalar a fumaça tão familiar. É como reencontrar um velho amigo, retomar a mais incrível conversa que já tive, uma que foi interrompida há sete meses e que, quando recomeça, volta no ponto exato em que foi cortada. Mas é mais que uma simples conversa; é o melhor sexo, a refeição mais deliciosa, o livro mais apaixonante — é como retornar para tudo aquilo ao mesmo tempo, é como voltar para casa. A principal sensação que tenho ao me recostar na cadeira e ver a fumaça invadir o escritório é: "Mas por que será que eu fui embora?".

Passo três horas sentado à minha mesa, acabando com um dos saquinhos, e por fim saio a toda, num súbito pânico, para o Japonica, para Noah, com quem eu tinha um compromisso uma hora atrás. Entro correndo no restaurante e vejo-o sentado a uma mesa, de costas para a parede, claramente preocupado. Quando Noah me vê, ele fica branco e cai no choro. Lembro bem desse choro. Minto para ele e digo que fiquei preso num telefonema de trabalho, que não ouvi o celular ou o telefone fixo do escritório, e que está tudo bem, não se preocupe, pare de chorar. Noah dorme no sofá naquela noite e vai embora silenciosamente de manhã, perguntando apenas uma coisa: se eu ia conseguir ir até Sundance. E eu digo que sim, sim, claro. Eu prometo.

E vou mesmo. Mas fico apenas uma noite, a noite da estreia e da festa que acontece depois, com os amigos, produtores e familiares de Noah. Sorrio, faço que sim com a cabeça, converso e finjo que sou um cara que está ali apoiando o namorado. Mas estou fixado naquele saquinho Ziploc embrulhado em lenços de papel que está dentro do bolso do meu blazer azul-marinho, pendurado no closet do meu quarto no Número Um. Visualizo o cachimbo de vidro transparente aninhado ao lado daquele saquinho, e o isqueiro que está na cômoda ali perto. Penso nessas coisas durante cada segundo que passo em Utah. Assim que chego lá, preciso ir embora. No instante em que deixo Nova York, preciso retornar, voltar para aquela conversa que havia acabado de recomeçar; agora, nada além da morte poderá me manter longe dela.

Última porta

Preciso de um suéter novo. Preciso me arrumar melhor antes de tentar ir para outro hotel. Já é noite, mas talvez algumas lojas estejam abertas. Entro num táxi e peço que o motorista vá para o Soho. Ele cantarola enquanto dirige e eu não tenho coragem de olhar se a foto da sua carteira está coberta com papelão ou papel, ou se simplesmente nem está lá, como todas as outras. "Aqui está bom?", pergunta ele, parando na esquina da rua Houston com a Wooster. Enfio dez dólares na abertura própria para o dinheiro, sem me incomodar em olhar o taxímetro.

As lojas ao sul da rua Houston parecem decoradas para o Natal. Vitrines extraordinárias — com bonecos animados, direção de arte, iluminação inteligente — atraem e intimidam ao longo da rua Wooster. Lembro de ter vindo a Nova York com minha turma de quarta ou quinta série para ver o Show de Natal do Radio City Music Hall. As ruas do centro da cidade estavam entupidas de turistas e de gente da cidade, centenas de pessoas se amontoavam para ver as vitrines decoradas da Saks Quinta Avenida e da Lord &

Taylor. Lembro que eu não entendia por que era importante ver as vitrines, mas também de ficar excitado por estar envolvido em algo famoso, algo grande. Tive a mesma sensação quando chegamos ao Radio City Music Hall. Minha mãe tinha me contado que aquele era o melhor teatro do planeta, que as Rockettes eram as artistas mais lindas e talentosas que existiam e que gente do mundo todo vinha vê-las. Quando minha turma conseguiu por fim atravessar a multidão e entrar no Radio City, eu mal conseguia respirar. Estávamos ali, naquele lugar visitado por pessoas do mundo todo, onde as Rockettes se apresentavam (o que elas faziam exatamente, eu ainda não sabia). Os enfeites dourados e o tapete vermelho aumentaram a adrenalina de estar em Nova York no Natal, e lembro de começar a tremer de verdade de tanta excitação. No fim do primeiro lance de escadas, havia diversos telefones públicos. Fui direto para o mais próximo e disquei zero. Disse à telefonista que queria ligar para minha casa a cobrar. O telefone tocou, mas ninguém atendeu. Isso foi antes da época das secretárias eletrônicas. Antes das caixas postais. Por isso desliguei. Mas estava quase explodindo e precisava contar a alguém, despejar aquela animação em algum lugar. Assim, peguei o fone e disquei zero de novo. Outra telefonista atendeu, e imediatamente comecei a contar onde eu estava, o que estava vendo e o que já tinha visto naquela que era uma das minhas primeiras viagens a Nova York. Não me lembro de nada do show daquela noite, mas jamais me esqueci do telefonema que fiz, da telefonista simpática, de sua voz gentil e de ela ter me mandado voltar para perto da minha professora e tomar cuidado para não me perder.

Passo pelas vitrines alegres e artificiais da rua Wooster e tento me lembrar em que época do ano estamos. Parece Natal, mas tenho certeza de que não é. Levo poucos segundos para me dar conta de que é março. Entro numa loja ampla, clara e serena, com mesas baixas e araras discretas e cheias do que me parecem ser roupas produzidas com grande cuidado. Pergunto a uma vendedora de cabelos escuros com olhos que parecem duas opalas — azuis, com traços de dourado e vermelho — se eles têm algum suéter de gola rulê masculino. Digo que não sou de Nova York e que já usei o único que trouxe até gastar. Ela baixa os olhos até meu torso para ver o que estou vestindo, franze o cenho e faz uma careta, parecendo concordar. A vendedora me indica uma escada que conduz a um nível mais baixo. Perto do fim da escada, há uma pequena cesta cheia de suéteres de cashmere com gola rulê dobrados. Pego o menor tamanho, na cor vinho com detalhes trançados, e vou para um dos provadores. Assim que fecho a porta, coloco uma pedra grande no cachimbo, tusso alto para abafar o som do isqueiro e trago avidamente. Solto um monte de fumaça e fecho os olhos por alguns minutos. Não tenho ideia para onde vou quando sair dali e me recosto na parede do provador, deixando que o brilho cálido do crack me impeça de me importar com isso. Aquele pequeno provador, nada mais que um cubo de luz, espelho e tinta branca, é seguro, e por um instante me acalmo.

Vou escorregando pela parede e deixo que cada um dos meus músculos tensos vá relaxando. Sinto-me como se todos os meus membros, todos os meus dedos, pudessem cair. A geringonça que é meu corpo me parece mal encaixada, prestes a desmoronar. Do nada, surge a lembrança de Noah chorando no Japonica. Balançando a cabeça, aos soluços. Dizendo para eu não me explicar, não dizer mais uma palavra, pois ele sabia que eu tinha me drogado, podia vê-lo em cada centímetro do meu corpo.

Um raio de horror me atravessa e começa a se expandir. Preciso dar algumas tragadas grandes para que a imagem de Noah comece a se dissipar, e, depois de mais algumas, o exorcismo está completo. O minúsculo provador está repleto de fumaça, e eu sei que preciso ir embora. Após mais uma enorme tragada, subitamente me lembro do hotel Soho Grand, que não deve ser longe dali e onde, graças a Deus, eu não sou conhecido.

Eu me empertigo, vibrando com a promessa de um quarto de hotel limpo e novo, conforme mais fumaça vai se acumulando no teto do cubículo. Energizado por ter um plano, por afinal poder ir para algum lugar, deixo que o isqueiro esfrie e saio do provador. Ao caminhar, noto que minha calça insiste em cair. Meu velho suéter de cashmere está inteiro enfiado em volta da cintura, mas aquela Levis imunda e puída continua escorregando. Preciso mandar fazer outro buraco no cinto antes de ir para o hotel.

Agora aquele andar da loja está mais iluminado e menor do que eu me lembrava. Fico com medo de que eles tenham me ouvido fumando e que sintam o cheiro da fumaça que sai pela porta agora aberta do provador. Sem experimentar o suéter, corro lá para cima e digo à mulher com olhos de opala que quero comprá-lo. Ela passa meu cartão de débito e, enquanto pega uma sacola com as palavras "Christopher Fischer" escritas no centro, eu observo a loja. Antes, ela me parecera de um refinamento impenetrável, mas agora tem um ar artificial, improvisado. A sacola me parece estranha, grossa, brilhante e grande demais, como se fizesse parte do figurino de uma peça off-Broadway que tivesse a ver com compras. A mulher de olhos de opala envolve o suéter em papel de seda, coloca-o na sacola falsa e me entrega o recibo enquanto me diz para eu ter uma boa noite. Sinto que estou escapando da realidade quando pego a sacola. Será que isso é uma armadilha? Mas como eles podiam saber que eu viria aqui? Saio às pressas da loja e volto à rua Wooster.

Alguns segundos depois, ouço meu nome ser chamado por alguém com uma voz aguda, nervosa e um sotaque do sul. "Bill, oi, Bill." Fico paralisado. ROSIE?!? A velha que fuma crack, confecciona objetos de arte e mora na rua 23? O que ela está fazendo aqui? Meu Deus, será que ela está metida nisso? Olho em volta e não vejo ninguém que conheço. Meu coração dispara e eu não consigo respirar, porque litros de sangue vão para a minha cabeça. E ali está ela: Barbara. Uma mulher bonita, de meia-idade, impecavelmente vestida, que dá consultoria para editoras estrangeiras, uma função que as pessoas do mundo editorial chamam de "scout". Eu a conheço há anos, embora não muito bem. Ela me olha com preocupação, mas sem hostilidade, e eu a cumprimento rapidamente e sigo em frente antes que uma conversa possa ser iniciada. Vê-la me leva a pensar em editar livros, na agência, em Kate, nos nossos funcionários, nos meus escritores — meu Deus, todos aqueles escritores. E, com eles, os nomes, rostos e vozes de todos os editores, agentes, *scouts*, assessores de imprensa e assistentes surgem rugindo, um por um, como um imenso mural animado — censurando-me, enojados. E então lembranças do centro de reabilitação e de Noah me inundam de novo. Com minha imitação de sacola numa das mãos e cartão de débito na outra, começo a andar apressado na direção oeste, para o Soho Grand.

Vejo — ah, meu Deus, obrigado — um sapateiro e imediatamente entro lá, tiro o cinto, e peço que ele me faça um ou dois furos. É a terceira vez que faço isso nas últimas cinco semanas. Uma vez, em algum quarto de hotel, acabei pegando uma faca e fazendo dois furos novos, embora não tão perfeitos. O velho atrás das pilhas de bolsas e carteiras olha para mim e para o cinto gasto com desconfiança e diz: "Você vai precisar de mais do que um ou dois furos". Ele faz quatro furos e, quando ponho o cinto, consigo encaixar o pino facilmente no último deles. Penso em pedir que o velho faça mais um, porém, a julgar pela rapidez com que ele furou o cinto e recolheu meu dinheiro, tudo indica que quer me ver longe dali. Caminho mais alguns quarteirões em direção ao hotel, mas sei que preciso tirar meu suéter nojento antes de chegar lá. Estou usando-o há mais de um mês. Ele já foi tão esticado que perdeu a forma, e temo, sem ter certeza, que o resíduo não identificado que há na gola e na parte da frente esteja começando a cheirar mal.

Alguns quarteirões depois, vejo um pequeno restaurante chinês. É do tipo que tem só três ou quatro mesas e que faz mais entregas em casa. Não há outros clientes lá quando entro. Aproximo-me do balcão e pergunto se posso usar o banheiro. O menino que está ali, e que não deve ter mais de dezesseis anos, diz que o banheiro é só para os fregueses. Uma mulher que eu imagino ser sua mãe se aproxima, repetindo que o banheiro não é público.

Estou desesperado para trocar de roupa e começando a ficar ansioso por uma tragada, por isso peço três pratos e alguns rolinhos primavera para viagem e pergunto, com alguma impaciência, se *agora* posso usar o banheiro. A mulher diz que sim, se eu pagar antes. Eu pago. Passo pelo balcão e vou até os fundos da cozinha, onde há um minúsculo banheiro. Por sorte, há uma janela e um espelho lá dentro. Abro a torneira e dou a descarga para abafar os cliques do isqueiro e os estalos que o crack faz quando esquenta. Coloco a pedra no cachimbo e acendo. Depois, repito a operação, já que estou longe de me sentir relaxado só com a primeira tragada. A pedra estoura no cachimbo quando eu inalo e a ponta do vidro se quebra. Isso às vezes acontece quando você coloca um pedaço grande e frio de crack num cachimbo ainda quente e acende rápido demais. Da forma mais silenciosa possível, tento catar os caquinhos de vidro, encontrar a pedra de crack, que graças a

Deus ainda está intacta, e colocá-la outra vez no cachimbo quebrado. Estou muito agitado, por isso ponho um pedaço ainda maior. Dou uma tragada enorme, solto a fumaça pela janela e, ainda bem, começo a sentir uma onda de calma assim que exalo. Tiro o suéter e vejo meu torso no espelhinho: várias costelas e ossos projetados contra a pele, que tem um tom cinza-claro; arranhões, queimaduras e cascas de ferida se espalham por braços, peito e barriga. Pela primeira vez me sinto muito distante do desejo por sexo, como se eu me encontrasse num novo estado de estupor onde o sexo não tem mais importância. Fico aliviado, pois não quero que ninguém veja este corpo do espelho. Examino melhor os piores cortes e queimaduras, os das mãos e antebraços, e estremeço. Olho de novo no espelho e vejo que não tenho mais gordura, que meu corpo está coberto por uma finíssima camada de pele, esticada até quase arrebentar. Pareço saído de um incêndio, e estar morrendo de fome. Nunca tinha visto os ossos da minha pélvis tão proeminentes como agora, e quando me meto no suéter novo fico aliviado ao ver que esse glorioso tecido tão caro é grosso o suficiente para esconder miraculosamente tudo aquilo. Lavo o rosto e as mãos, limpo várias manchas da minha calça jeans e tiro fiapos, fios de cabelo e detritos da aba do meu fiel boné. Encontro um colírio na jaqueta e encharco os olhos com ele. Lavo a boca com sabonete e passo-o debaixo dos braços para disfarçar quaisquer odores que possam estar vindo dali. Acendo o cachimbo outra vez, sopro para esfriá-lo, cubro-o de papel, coloco o suéter velho na sacola e abro a porta que dá para a cozinha e a parte da frente do restaurante. Chegaram dois homens, dois Penneys com jaquetas pesadas, calças sem graça e sapato cinza, e eles estão me encarando quando volto ao balcão. A comida está pronta e já embrulhada, eu pego tudo, agradeço à mulher e ao garoto, e vou embora. Caminho na direção oeste e, quando me viro, vejo os dois Penneys saírem do restaurante e começarem a andar no mesmo sentido que eu. Faço vários desvios e, depois de uns vinte minutos, acredito que consegui despistá-los. Jogo a comida chinesa e a sacola com meu suéter velho numa lata de lixo. Meu coração está acelerado e tenho medo de estar nervoso demais para passar pelo processo de check-in na recepção do Soho Grand. Estou muito agitado para ir a um bar tomar uma bebida, por isso decido ir para o hotel de uma vez. Para o quarto. Quando eu estiver lá dentro, vou ficar bem. Vou poder ligar para o serviço de quarto e para Happy, e beber litros de vodca para me tranquilizar. Eu me concentro no alívio imediato do quarto de hotel, mas, no fundo, estou cada vez mais consciente de que, com pouco dinheiro na conta, com pouco peso para perder e com poucos lugares onde me esconder, acabou. Alguma espécie de fim se aproxima.

Passo na loja de conveniência que fica na esquina do quarteirão do hotel e compro dez isqueiros, seis caixinhas de comprimidos para dormir e uma embalagem com seis latas de cerveja, para ter o que beber assim que chegar ao quarto. Gostaria de poder fumar mais um pouco antes de ir para o hotel, mas sei que é agora ou nunca. Entro no prédio novo de tijolo e vidro e, quando marcho escada acima da forma mais lenta e calma possível, penso nos lençóis limpos, no chuveiro potente, no serviço de quarto, nos móveis imaculados, na segurança. O lugar está repleto de caras que parecem assistentes de produção de um filme — todos de chapéu e jeans e de cabelos desgrenhados. Graças a Deus. Graças a Deus, eu não chamo atenção ali. Na mesma hora, imagino que vim de Los Angeles para filmar e que qualquer pessoa que reparar no meu peso, nas olheiras sob os olhos vermelhos e no cabelo sebento saindo por baixo do boné vai concluir que a produção está sendo feita às pressas e que estou ficando até tarde na sala de edição, vendo os copiões. Então, com essa fantasia animando meus movimentos, vou até a recepção e peço um quarto. "Quantos dias?", pergunta a mulher, e eu faço um cálculo rápido considerando o valor de quinhentos dólares da diária e a quantidade de crack que planejo comprar de Happy. Digo a ela que serão quatro dias, que preciso me hospedar com um nome falso e que quero um quarto de fumantes. Ela não hesita um segundo. Diz "Tudo bem", passa meu cartão de débito, olha meu passaporte, me entrega um cartão de plástico para abrir o quarto, e lá vou eu. Quando estou no elevador, quase gargalho de excitação e alívio enquanto subo para o que ali se considera o terceiro andar contando de cima para baixo. Concluo que será alto o suficiente para um pulo eficaz. Se tudo o mais falhar, ainda me restará isso.

O quarto fica no canto sudoeste do prédio, é pequeno e mal iluminado. As luzes do Soho, de Tribeca e de Wall Street dançam e piscam do outro lado das enormes janelas e, quando eu entro ali, me sinto dentro de um globo de neve suspenso no ar, muito acima das ruas da cidade. Diante da janela, telefono para Happy pela última vez.

Ele aparece por volta da uma da manhã. Já faz uma hora que fumei o que havia restado do saquinho que Rosie havia comprado para mim, e meu cachimbo agora tem menos de cinco centímetros de comprimento e está repleto de uma resina queimada e impossível de fumar. Quando liguei para Happy duas horas atrás, pedi dois mil dólares em crack. O maior pedido que já fiz. Só tenho mil e quinhentos para dar a ele agora — o que restava do meu limite quando fui ao caixa eletrônico antes da meia-noite e mais mil dólares que tirei depois. Peço a Happy que me venda o resto a crédito, só desta vez. Ele hesita um instante e começa a contar os saquinhos e os cachimbos novos. "Esse hotel é legal", diz Happy, fazendo pela primeira vez na vida um comentário sobre onde estou hospedado. "O quarto também", continua. Depois, vai embora. Olho para os quarenta saquinhos de crack em cima da cama, o máximo que já vi de uma só vez, e me sinto mais seguro do que em qualquer outro momento do dia. Os saquinhos parecem mais cheios, com mais crack do que o normal, e aquela abundância, a luz que dança do lado de fora e a certeza de que jamais sairei daquele quarto fazem com que eu sinta a onda antes mesmo de fumar. Deito na cama e jogo os saquinhos no peito e no rosto, um por um, e depois todos de uma vez. É como uma chegada. O fim de uma viagem. Não apenas da viagem histérica daqueles dias, noites e semanas após minha recaída, mas da jornada inteira, de toda aquela luta inútil. A frase do livro surge novamente, com um novo significado dessa vez. "Deveria ser agora."

Fecho as cortinas, coloco uma pedra em um dos cachimbos novos e, mais do que nunca, deixo as migalhas se espalharem pelo chão. Não tem importância. Eu não verei o fim dessa pilha. É impossível sobreviver a isso. Dou mais uma tragada. E outra. E outra. Happy me deu oito cachimbos, e eu coloco crack em mais dois para não ter de esperar que um esfrie antes de fumar mais. Inalo fumaça sem parar por quase uma hora. Estou nu, respirando mais fumaça do que ar. Estou repleto de fumaça e me sinto quente, elétrico, gigante. Sinto-me sem peso na penumbra do quarto. Sou quase nada. Estou, afinal, prestes a ser nada.

Peço garrafas e mais garrafas de vodca pelo serviço de quarto, e nenhuma comida. Fumo e bebo a noite toda e, quando a manhã chega, já fumei um terço do crack que comprei de Happy e fico apavorado com a ideia de não ter o suficiente. À meia-noite, decido tirar mil dólares do caixa eletrônico, telefonar para Rico e lhe pedir que me venda mais mil a crédito até o dia seguinte. Nunca pedi isso a Rico, mas ele não hesita. Quando aparece lá pelas duas da manhã — gordo, mal-humorado, vestindo um casaco vermelho grandalhão —, me dá mais uns duzentos extras, além dos mil a crédito. "Cortesia da casa. Come alguma coisa, cara", diz Rico e, por um segundo, ele parece preocupado. Mas só por um segundo — no instante seguinte, já foi embora. Junto todos os saquinhos. Tenho uma pilha ainda maior que a da noite anterior e agora, com apenas quatro mil na conta e a despesa do hotel aumentando cada vez mais, volto a temer a possibilidade de não ter o suficiente. A morte e uma conta bancária no vermelho estão emparelhadas na corrida, e eu apostei tudo na primeira.

Tiro todos os comprimidos para dormir das caixinhas e arranco um por um das cartelas grossas. Coloco as pílulas num copo de vidro que havia no banheiro e derramo todo o crack em outro. Minhas mãos tremem enquanto eu manuseio as pílulas e o crack, e meu corpo todo oscila ao ritmo das batidas do coração. Estou bebendo vodca como água e, toda vez que tenho de pedir mais algumas garrafas para o serviço de quarto, tenho medo que os entregadores digam ao pessoal da recepção que há alguma coisa estranha acontecendo no meu quarto.

A segunda manhã chega e o quarto me parece menor. O dia está nublado e, embora da janela eu veja uma vizinhança onde já comi, fiz compras e caminhei por anos, sinto-me observando uma cidade em que jamais estive. Nada me parece familiar. Nova York me dá a impressão de ser um lugar onde eu não posso simplesmente descer para ir visitar, mas uma fotografia num mural que me cabe apenas contemplar.

Continuo fumando, e fico satisfeito com o sistema de ventilação, que suga as nuvens assim que eu as exalo. Deixei uma janela aberta para que o ar fresco entre e, pela primeira vez, não tenho medo de que o cheiro da fumaça se espalhe pelo corredor do hotel e alerte os outros hóspedes ou os empregados.

Fico em frente à janela com uma toalha amarrada na cintura e vejo que, do outro lado do estacionamento que fica atrás do hotel, há uma série de caminhonetes pretas e diversos sedãs escuros parados em fila. Deve haver cerca de nove veículos, e acho, sem ter muita certeza, que há duas pessoas sentadas nos bancos da frente de cada um. Paro de respirar. Uma daquelas pessoas parece estar segurando um binóculo. Meu coração começa a disparar. Parece que todos têm binóculos nas mãos. Dezoito binóculos apontados para esta janela, para este quarto, para mim. A toalha escorrega. Caio de joelhos e me estico para olhar pela janela de novo. Um deles está acenando. É difícil ver, mas tenho quase certeza de que está acenando por trás do vidro. Há um reflexo, mas... sim, sim, ele está acenando com o braço. Merda, todos estão acenando. Acenando com uma mão e segurando um binóculo com a outra. É como se eu tivesse recebido uma descarga elétrica. Meus braços e pescoço doem, e acho que estou tendo um ataque cardíaco. "Porra, porra, porra, porra, PORRA!", grito, enquanto ando de um lado para o outro no quarto e me sirvo de um copo inteiro de vodca, que bebo de um só gole. PORRA. Pego imediatamente um novo cachimbo e encho-o de crack. "MERDA!", grito, interrompendo o ato de acendê-lo. Não posso fumar com as cortinas abertas. Não com todos me observando. Mas não posso fechá-las, eles vão invadir o quarto. Corro até o banheiro e abro o chuveiro para disfarçar o barulho da chama queimando o pedaço enorme de crack que coloquei no cachimbo. Preciso de três tragadas para fumar tudo que está ali, e pego a toalha e a enfio no vão abaixo da porta. De repente, me dou conta de que o sistema de ventilação do banheiro não é muito bom. A fumaça paira, pesada e lenta, no teto. MERDA. Sinto-me encurralado. Sem olhar de novo pela janela, fecho as cortinas e sento na cama para pôr mais crack no cachimbo. De novo. E de novo. Estou com pouca vodca e, sem ela, logo vou começar a tremer descontroladamente. Morro de medo de ligar lá para baixo para pedir mais, mesmo assim faço isso. Pego o xampu e espirro-o nas paredes ao redor da porta do banheiro e nos dutos do sistema de ventilação, para tentar criar outro cheiro. Bebo o resto da vodca, fumo mais e, quando olho no relógio, vejo que já passa da uma. Tenho só mais uma noite no hotel e sei que não há dinheiro suficiente em minha conta para pagar outra diária. A vodca chega, e o garoto que a entrega não é um garoto, e sim um homem, e eu o acho calmo demais, controlado demais e, bem, másculo demais para ser um garçom de hotel. Merda, penso. É um policial disfarçado. Agradeço, assino a nota e, quando ele pergunta se quero mais alguma coisa, penso "SAI DAQUI, PORRA!", mas digo com toda a educação: "Não, obrigado", escondendo minhas mãos trêmulas atrás das costas. O cara vai embora, e penso ter ouvido algo no andar de cima. Será que há outro quarto acima do meu, ou é a cobertura do prédio? Não consigo me lembrar. Ando de um lado para o outro, fumo um pouco e tento decidir se devo abrir as cortinas e olhar para cima. Preciso de quarenta e cinco minutos e quase meia garrafa de vodca para conseguir abrir as cortinas, me debruçar, olhar para cima e ver que há um terraço aberto em cima do meu quarto, e não outro cômodo. O prédio vai afinando no topo, e o meu andar é o último antes desse estreitamento. Olho para o outro lado do estacionamento, onde está a fileira de caminhonetes pretas e os sedãs, e penso ver um isqueiro sendo aceso dentro de um dos veículos. E, depois, em outro. Será que estão tentando me enlouquecer? Por que estão me observando? Por que não me prendem logo? QUEM SÃO ELES, PORRA? De repente, me sinto leve, frágil. Indefeso. Tento ficar de pé, mas me dobro, cheio de pavor, como um canivete semifechado. Fecho as cortinas e volto pé ante pé para a cama. Os ruídos lá em cima... serão passos? Algo sendo arrastado? Será que estão planejando descer do alto do prédio e entrar pelas janelas? Noto como o quarto é pequeno e me pergunto se o construíram daquela maneira só para mim. Será que ele é parte de uma suíte maior, mas, quando me viram chegando, criaram um espaço com escutas e câmeras ocultas que fosse possível acessar pelo alto para poderem me pegar? Um rádio soa em algum lugar. No corredor? No topo do prédio? Pulo da cama e vou para perto da cômoda. A toalha escorrega de novo e, no espelho, vejo um esqueleto débil — cotovelos, joelhos e nós dos dedos protuberantes como juntas de madeira amarradas com barbante. Sou a marionete que já vi centenas de vezes e que jamais pensei ser. Sou apenas madeira, fios e espasmos. Sem dinheiro. Sem amor. Sem carreira. Sem reputação. Sem amigos. Sem esperança. Sem compaixão. Sem utilidade. Sem segundas chances. E, se antes havia alguma hesitação diante da morte, agora ela também se foi. Dou uma imensa tragada. Deve haver pelo menos dois mil dólares em crack dentro daquele copo de vidro. Tenho uma garrafa de vodca cheia, outra quase cheia, um copo com comprimidos para dormir e dois cachimbos limpos e três um pouco gastos, mas ainda utilizáveis. Preciso engolir tudo isso o mais rápido possível, dar um golpe forte no meu sistema nervoso antes que alguém force a porta do quarto. Dormi apenas algumas horas nas últimas seis semanas. Não consigo me lembrar de ter comido. Tenho certeza que meu corpo destroçado não vai sobreviver se eu despejar tudo o que tenho nele. A equipe de binóculos e isqueiros que estava ao volante das caminhonetes acenando, e que agora parece se encontrar no alto do edifício, deve estar prestes a detonar a porta e as janelas do quarto.

Visto minha cueca samba-canção o mais rápido possível. De repente, é de suma importância estar de cueca e ter limpado tudo.

Se o quarto for invadido, não quero que ele esteja cheio de lixo e bagunçado, e não quero estar nu. Limpo os móveis, o chão do banheiro e do quarto, e pego os copos com os comprimidos e com o crack que estão ao lado da cama. Coloco as garrafas de vodca no chão e pego uma vazia para poder fazer xixi dentro dela. Em algum ponto desse processo de limpar e reunir as coisas, decido que, depois que me deitar na cama, não vou mais levantar. Sento na beirada e dou uma tragada. Fumo sem parar, mas a pilha de crack dentro do copo não parece diminuir nada. Começo a tomar os comprimidos. Um atrás do outro, com grandes goles de vodca. Ouço passos no teto. Som de cordas, botas pesadas, cabos. Caixas repletas de armas sendo arrastadas no concreto. Equipamento de vigilância sendo carregado. Mais passos. Mais tragadas. Mais pílulas e goles maiores de vodca. Isso se desenrola sem cessar naquele quarto mal iluminado, com o sol do fim da manhã atravessando as cortinas fechadas. Os móveis que antes cintilavam com um convidativo glamour urbano agora me parecem baratos, frios e ordinários. Ouço o barulho de hélices e imagino homens lá em cima prendendo cabos no telhado, cabos saídos de um enorme e poderoso helicóptero, que vão, a qualquer momento, erguer aquele pequeno quarto no ar e levá-lo para longe da cidade, para o lado de lá dos muros de uma prisão federal. Sinto alguma coisa balançando, e não sei se sou eu, a cama ou o quarto todo. Tomo mais comprimidos. Fumo mais. Bebo mais. Encontro um pedaço de papel e, assim como Noah fez tantas vezes na parte de trás de envelopes que deixava no bar do nosso vestíbulo, escrevo: “Não aguento mais”, e deixo-o ao lado da cama. Mal posso mover os braços, e as pernas começam a doer. Meu coração parece um foguete sendo lançado dentro do peito, mas, ao mesmo tempo, uma onda lenta e surda de sono começa a se espalhar pela minha nuca e pela parte de trás da cabeça.

Os comprimidos quase já acabaram. Pela primeira vez me pergunto se quero mesmo fazer aquilo. Talvez ainda haja uma chance de rastejar para fora deste poço fundo. Será que eu quero mesmo morrer? Eu paro, e os sons que vêm de cima também param. Tudo é silêncio, com exceção do rugido do sangue que percorre meus olhos, orelhas e peito. Tudo que consigo ouvir é a vida rebentando contra meu corpo cansado e dolorido. Será que eu quero fazer isto? Agora? O som de alguma coisa estalando no telhado faz com que eu me sobressalte.

"Sim", eu penso, me inclinando para alcançar o copo com os comprimidos e enfiando os últimos dez dentro da boca. "Sim", digo em voz alta para os homens lá no alto e para os que estão nas caminhonetes e que devem estar me escutando. "SIM!", eu grito, antes de engolir os últimos goles de vodca da garrafa. "Sim", sussurro furiosamente, colocando crack no último cachimbo até ele quase estourar. Sim, sim, sim, enquanto acabo com tudo, e meus membros desaceleram, e aquela imensa onda de sonolência que espero há tanto tempo cresce, atinge seu ponto máximo e, afinal, se quebra. Sim.

Durante muito tempo, a primeira coisa que me lembrei depois disso foi de estar na portaria do Número Um, agarrado ao balcão, dizendo a Luis que precisava da chave nova. Mas, com o passar do tempo, me lembrei de estar parado na esquina da Quinta Avenida com o Washington Square Park, aquela mais ao norte, à direita. Será que um táxi me deixou lá? Ou fui andando do hotel? Na época eu não soube, e até agora não sei. Mas estou naquela esquina, sem saber o que fazer. Se devo ir para casa ou não. Não tenho dinheiro. Nenhum. E mal consigo me manter acordado. Eu poderia facilmente me deitar na calçada e dormir. Se conseguisse encontrar um cantinho escondido, onde ninguém viesse me prender ou me perturbar. O sono desaba sobre mim como um cobertor pesado, e não consigo ficar de pé sem cambalear. Começo a subir a Quinta Avenida na direção de casa.

Então Luis — trinta e poucos anos, extremamente educado, hispânico, o mesmo porteiro para quem acenei por anos ao passar pela portaria — está me dizendo que Noah não está em casa e que não tenho permissão para entrar no prédio. Luis diz isso gentilmente, mas diz. Peço que ele, por favor, me dê a chave nova. Garanto que não vai haver problema, que Noah não vai se importar. Luis diz que ele tem ordens de não me dar a chave e eu explico que, se eu não me deitar em algum lugar, vou morrer. Agora mal consigo ficar de pé. Ele liga para John, nosso síndico. John desce e pede que eu o acompanhe. Vamos até o segundo andar, onde ele tem um pequeno escritório, e John sugere que eu espere ali até Noah voltar. Eu digo que ele precisa ligar para Noah. Meu celular está sem bateria. John disca o número e passa o fone para mim. Caio na caixa postal de Noah e conto que estou em casa, mas que não querem me deixar entrar. Enquanto estou deixando esse recado, acabo caindo. Minhas pernas bambeiam e eu desabo no chão, diante da mesa de John. Ele me levanta, mas não há um lugar onde eu possa sentar. Seguro o batente da porta atrás de mim. Estou acordado e dormindo, vivo e morto, e não sei como cheguei aqui. John está falando, mas não ouço mais suas palavras. O telefone dele toca e ele põe o fone no meu ouvido. É Noah. "Oi", digo. "Estou em casa. Ajude. Por favor." Dou o telefone para John, ouço mais sons, e então John está me levando lá para baixo, para a mesa de Luis. Dê a chave para ele, diz John, e Luis abre o armário para pegá-la. Há uma certa confusão sobre a chave velha e a nova, mas uma delas acaba em minhas mãos e começo a caminhar até o elevador. Quando entro nele, não me lembro em que andar moramos. Terceiro? Aperto o terceiro e sei que está errado.

Quinto? Sexto? Sexto. Sexto. Apartamento D. Então aperto o sexto. A porta abre e fecha no terceiro e por um instante esqueço que aquele não é o meu andar e vou em direção à porta. Acabo me lembrando, mas, quando paro, meu corpo se dobra de novo e caio no chão. A porta fecha e eu consigo me levantar quando ela abre no sexto. O apartamento fica à direita do elevador, última porta do lado esquerdo. Começo a caminhar em direção a ela, segurando-me na parede ao longo de todo o trajeto. Finalmente chego lá e vejo a fechadura nova e brilhante de aço no lugar onde a velha, cor de cobre, costumava ficar. Não sei mais onde pus a chave e, quando estou procurando nos bolsos, me dou conta de que ela está em minha mão direita. Agora só preciso abrir a porta. Mas não consigo levar a chave até o buraco da fechadura. Deve ser a porta errada. Talvez nosso apartamento seja no sétimo andar. Talvez no quarto. Fico cutucando a fechadura, mas minha mão treme e eu não consigo enfiar a chave. Agora que parei de me mover, a sonolência me atinge como um tsunami. Estou apoiado na parede ao lado da porta, mas não consigo me manter de pé. Estou caindo, e seguro na maçaneta para não desabar para trás. Oscilo no mesmo lugar por algum tempo e, quando tudo começa a escurecer, sinto mãos em minhas costas, percorrendo meus braços, pegando a chave. Erguendo-me. Vejo-as em meus pulsos, e elas são a coisa mais bela que já vi. Feitas de luz, não de carne, voejando ao meu redor com benevolência e graça. Noah. Ele me apoia contra seu corpo — cheira a roupa limpa e cigarros — e me ajuda a ficar de pé com uma das mãos, abrindo a porta com a outra. Noah diz alguma coisa, mas suas palavras estão distantes demais. Está tentando me manter erguido quando a porta abre, porém eu já caí. A luz do apartamento banha a nós dois. Eu desabo lá dentro.

Planícies Brancas

Uma ambulância vai aguardar em frente à entrada de serviço do Número Um para me levar ao hospital Lenox Hill. Ao contrário do percurso que fiz até o hospital quando eu tinha doze anos, não me lembrarei desse — não haverá um ir e vir entre o sono e a vigília, nem vozes me confortando. Não me lembrarei do setor de emergência, do elevador conduzindo à ala psiquiátrica, de nada além da minha queda dentro do apartamento, de Noah atrás de mim, da luz.

Acordo num quarto, sozinho, amarrado a uma cama, sem ter ideia de onde estou. Levo alguns minutos para entender que estou vivo e, quando isso acontece, fico furioso. Enfermeiras aparecem. Um médico. Pessoas — minha família, Noah — estão do lado de fora do quarto, mas eu peço que as enfermeiras não deixem ninguém entrar. Fico congelado ali dentro, com apenas um pensamento: E agora?

Julia, uma amiga de Los Angeles, telefona sem parar. As enfermeiras entram no quarto diversas vezes por dia para dizer que ela está num telefone público querendo falar comigo ou que deixou outro recado pedindo que eu ligasse para ela. Julia faz isso dias e dias até que, por fim, antes de eu falar ou ver qualquer outra pessoa, vou ao telefone conversar com ela. Deixo a cama e o quarto pela primeira vez e caminho com passos lentos até o telefone público ao lado da sala das enfermeiras. "Oi", digo, e as palavras de Julia inundam meus ouvidos. Durante algum tempo, são só as palavras dela que conseguirei ouvir, e Julia as dirá sem parar e as continuará dizendo nas semanas e nos meses seguintes.

Eles me transferem para outro quarto. Um quarto pequeno, com duas camas, que dá para uma igreja na rua 77. Quando chego lá, ele está vazio, e não há sinal de que vá ser ocupado por outra pessoa. Na cômoda, vejo uma imensa orquídea branca e dois suportes de bambu com pontas afiadas segurando a planta. A orquídea é de Jean, e veio com um bilhete pedindo que eu faça parte do conselho editorial da revista literária dela. "Faz tempo que quero lhe pedir isso", diz o bilhete, como se nada tivesse acontecido. Antes de assinar, ela escreve: "Com muito amor". Olho espantado para a orquídea, para a letra de Jean, para o papel grosso e cor de creme do bilhete, e me pergunto quem é essa pessoa que ela pensa que conhece, que ela pensa que ama. Pego um dos suportes de bambu, quebro-o ao meio, vou até o banheiro claro de azulejos azuis e começo a tentar enfiá-lo no pulso. Faço isso várias vezes, cada vez com mais força, até romper a pele e ver o sangue sair. Vejo a veia no meu pulso bombeando o sangue, a pequena arma em minha mão, me dou conta de como é horrível o que estou fazendo e decreto, naquele instante, que não quero morrer. De repente, pela primeira vez, morrer é a última coisa que eu quero. Eu paro, agradecido por não ter causado mais danos, ponho o braço debaixo da água fria, lavo o ferimento, envolvo-o em toalhas de papel e me sento na pequena cama que dá para a janela.

Fico ali durante um longo tempo. Observo o campanário da igreja e espero.

Antes de eu ver qualquer pessoa, a maioria dos meus familiares volta para suas casas na Nova Inglaterra. Minha mãe fica na casa de uma amiga no Upper West Side, mas peço para não vê-la. Noah aparece algumas vezes, e está mais lindo do que nunca. Nós nos sentamos um de frente para o outro à mesa da lanchonete do hospital, e me sinto ao mesmo tempo envergonhado e fascinado por ele. Estou pesando pouco mais de sessenta quilos, quase vinte a menos do eu pesava, e vestindo uma calça de pijama e um suéter, enquanto Noah está deslumbrante com sua elegante camisa da Agnes B., seu suéter inglês com gola e um casaco cinza chique. Lembro quando ele comprou cada uma dessas peças de roupa. Nunca é dito, mas fica claro que acabou. Nossas vidas, unidas há tanto tempo, agora vão ser vividas separadamente. Tudo que fomos, toda a nossa fantástica e terrível ópera, acabou. Só uma mesa nos separa, mas habitamos mundos diferentes. Noah não parece alguém de verdade, e sim uma pessoa criada num sonho meu, um milagre de todas as noites que não posso reviver quando acordo, mas apenas recordar.

E então Katherine aparece. Após ter um pesadelo em que me vê vagando entre os carros nas ruas, me desviando de táxis e ônibus, ela telefona para seu pai, que acabou de saber por alguém da nossa cidadezinha que estou tendo problemas. Katherine desliga o telefone, vai de carro até o aeroporto da cidade de Lubbock, no Texas, onde mora, e pega o primeiro voo para Nova York, chegando um dia antes de eu aparecer cambaleando em casa, antes da ambulância. Por duas semanas, permanece todo o horário de visitas no hospital. Quase sempre sozinha, e sempre com um livro.

Quando pessoas vêm me ver, Katherine retorna ao corredor e, quando elas vão embora e eu fico sozinho, ela volta.

Uma tarde, Katherine me conta a história de um avião que planejamos roubar nas férias que tivemos depois de nos formar no ensino fundamental e antes de ingressarmos no ensino médio. Ele se chamava *O Expresso do Alaska*, lembra ela, descrevendo como bolamos um plano complicado — com mapas, diagramas e orçamentos — de voar com ele até uma ilha deserta no Caribe. Nosso amigo Michael, que tinha aprendido a pilotar aviões com seu pai piloto, também fazia parte da conspiração. Katherine me faz lembrar de tudo, de como planejamos levar sementes para plantar jardins perfeitos e encontrar um equipamento que convertesse água salgada em potável; de como nós três havíamos inventado uma forma de não precisar nos separar, de não ser preciso que cada um seguisse seu caminho. Eu havia me esquecido do avião, da história toda, de como tudo aquilo parecera possível na época. Ouço Katherine contar e sinto o mesmo que sentia aos dez anos — reverência diante de tudo que ela sabe e gratidão pela atenção que me dá. Mas na maior parte do tempo não dizemos nada. Katherine segura minha mão e ficamos sentados, de novo em um hospital, exatamente como havíamos ficado um dia, juntos e sem palavras.

Duas semanas depois, Noah, Katherine e eu conversamos sobre centros de reabilitação com o psiquiatra que está me atendendo. Escolhemos um. Katherine vai até o Número Um e põe algumas roupas e livros em malas. Ela me ajuda a carregar as malas até a rua, me dá um abraço de despedida e volta para o Texas. Nós iremos nos separar de novo, ela irá para Belize e, por algum tempo, não mandará notícias. Mas acabará retornando — com um telefonema, um e-mail — e o tecido de nós dois se refará por algum tempo.

David, a quem não vejo desde aquele café da manhã no Marquet, está me esperando na frente do Lenox Hill, na esquina da rua 77 com a Park Avenue, dentro de seu jipe. Ele se mostra ao mesmo tempo carinhoso e reservado, e seguimos, sem conversar muito, para a cidade de White Plains, no estado de Nova York, para um lugar onde um dia já funcionou um manicômio e que tinha sido transformado num hospital psiquiátrico com um pequeno centro de reabilitação nos fundos. Paramos numa farmácia grande perto do centro de reabilitação e enquanto observo as pessoas andando pelos corredores me pergunto como elas conseguem tocar a vida, como alguém consegue fazer isso. David me leva pela farmácia como um pai antes de deixar o filho na colônia de férias, perguntando se quero pasta de dentes, balas, cadernos. Ele me compra dois cadernos. Eu preencherei ambos.

Durante as primeiras noites em White Plains, fico curioso por saber do garoto que está no quarto do outro lado do corredor — e também de sua preocupada mãe, ajeitando as coisas dele, vigiando-o como se ele fosse alçar voo ou desaparecer num estalo se ela virar as costas. Essa mãe me lembra Noah. E quando o garoto me olha brevemente, com olhos que são duas bolas de gude negras, sem esperança, cor ou vida, eu me vejo nele.

À noite caminho por um campo tranquilo em declive, muito parecido com o que havia em Oregon, e me pergunto o que vai acontecer agora. Num fim de tarde, poucos dias antes de eu voltar a Nova York, a ansiedade e o desespero me invadem e caio de joelhos no alto desse campo. Ele está molhado de chuva e o céu está escuro, coberto por uma névoa cinza. Caio na grama úmida e lamacenta e sussurro para o solo um pedido de ajuda. Faço isso por um bom tempo, até que em dado momento me levanto com as calças encharcadas na altura dos joelhos e das coxas, as mãos e os cotovelos imundos de lama. Quando me ergo, vejo uma pequena abertura no paredão de nuvens e, através dela, um raio fraco de luz. Um raio pálido e rosa, a coisa mais linda que eu já vi. A nuvem se abre mais, a luz cresce e, enquanto isso, vou me acalmando. Eu sei, pelo menos naquele momento, que minha preocupação não vai mudar nada, e que tudo é como deve ser. Que eu vou ficar bem.

Caminho pelo campo enquanto a noite cai. Quando chego à parte mais baixa, a enorme árvore que domina esse cantinho explode numa algazarra de pássaros. O bordo inteiro fica coberto deles, que gritam, gralham e batem as asas, fazendo um barulho tão alto quanto uma torcida num estádio superlotado. Fico observando-os por um longo tempo, hipnotizado com tanto som e movimento. Então, num segundo, o bando todo sai voando de repente, sobrevoando o campo, desviando para a esquerda, depois para a direita, escondendo-se atrás da igreja, sumindo. Quando volto ao meu quarto, o telefone está tocando. É Julia me pedindo para ser o padrinho da sua primeira filha, Kate, que vai nascer logo depois de eu voltar a Nova York.

À noite, ouço o vento uivar por entre os prédios e sacudir as janelas. Ouço gritos vindos da outra ponta do corredor e me pergunto se minha porta vai ser empurrada, como foi na primeira noite, quando uma jovem da cabelos negros se ajoelhou no umbral e me perguntou se eu era Deus. Observo o vão abaixo da porta e vejo uma luz se acender do outro lado. Às vezes é fraca, às vezes é forte. Depois é só a escuridão.

Nesse quarto, eu me sento numa cadeira e sinto-me mais leve do que nunca — aliviado, um peso incrível tirado dos ombros —, até que rostos começam a surgir como fogos de artifício. Eles não param de vir, um atrás do outro — pertenciam à minha vida, acho —, e sinto claramente a raiva, a dor, a decepção e o desprezo que imagino existir neles. Sinto-me pesado de novo na cadeira, às vezes fico sentado ali por horas. Ando de um lado para o outro no quarto e deixo recados em secretárias eletrônicas e caixas postais. Algumas pessoas me ligam de volta, outras jamais. Fico de joelhos e rezo. Peço ajuda. Rezo para eu encontrar uma forma de passar por isso. Peço perdão. Penso num dos meus poemas preferidos e vejo as previsões que ele continha. Lembro da minha vida, de como tudo me importava tanto, e depois já não importava nada. Lembro da última frase de um livro que eu acreditava ter entendido: "Quando parece ser o fim do mundo, nunca é". Repito essas palavras como quem reza um rosário, escrevo-as em cartas, falo-as ao telefone e ao vento naquele campo. Perco a fé nelas, mas rezo para que sejam verdade. E são.

Lembro de todos os taxistas, empregados de hotel, traficantes e viciados. Daqueles que se arrepiavam de nojo, medo ou êxtase e daqueles que diziam com a mesma voz gentil que tudo ia dar certo, que tudo ia ficar bem. Eu me pergunto com quem eles achavam que estavam falando, quem pensavam estar vendo, quem eles eram de verdade. Há coisas que jamais entenderei — as conversas, o grande balé de táxis e carros, policiais civis e federais, os JC Penneys —, jamais vou conseguir enxergar tudo isso de forma clara o suficiente para distinguir a verdade da ilusão. Só serei capaz de me lembrar como era a aparência dessas coisas, que sons elas emitiam e como me senti durante tudo aquilo. Lembro de estar na varanda do hotel Gansevoort naquela manhã. De todas aquelas pessoas caminhando pela cidade de maneira incrível às cinco da manhã; dos carros, das palavras escritas em cartões, das quais sempre sentirei curiosidade e cujo significado muitas vezes pensarei em procurar sem jamais fazê-lo. Lembro das gaivotas voando em grandes arcos acima do rio. Havia muitas delas.

Há um momento, bem mais tarde, em que imagino como terá sido para os outros, para aqueles que por parentesco, acidente ou vontade própria estiveram envolvidos. Os que foram feridos, os que feriram. Os primeiros surgem antes e de maneira mais arrebatadora: os empregados da agência que perderam o emprego, os escritores que eu representava, que dependiam de mim e que tiveram de se virar para achar novos agentes, minha família, meus amigos, Kate. Noah. No início, sou devorado pela vergonha, pela culpa e pelo arrependimento, mas devagar, com a ajuda de espíritos afins, esses sentimentos se modificam, ainda estão se modificando, transformando-se em alguma coisa menos egoísta. A paisagem desses sentimentos, com a ajuda diária desses espíritos afins, é explorada. Muita coisa permanece desconhecida.

Eu me pergunto como terá sido para o meu pai. Como aqueles momentos da minha infância foram para ele. O quanto ele se preocupava. Como se sentiu durante aquela volta de Boston depois de termos consultado o médico. E depois. O que ele ficou pensando depois que as portas do carro foram batidas e eu sumi para dentro da casa? Para onde ele foi? Para o seu gabinete beber uísque? Para a lateral da casa, fazer xixi nas plantas? Ou será que permaneceu na garagem escutando o motor que esfriava silenciar, ouvindo os passos na cozinha ali em cima? Quanto tempo ele ficou lá? Será que temia estar usando a tática errada? Estar sendo duro demais? Ríspido demais? O que o pai dele teria feito? O quanto ele conseguia se lembrar daquele homem? Ele tinha dezenove anos quando o pai morreu, e isso fora muito tempo antes. Na época ele estava na faculdade, planejando entrar na Marinha e voar. Voar para longe de Boston. Voar em jatos, em aviões de carga, não importava — levantar voo, só isso. O quanto ele se sentiu distante de seus dezenove anos naquele dia? O quanto se sentiu distante dos seus seis anos? Seis anos de idade. O que ele sabia sobre meninos de seis anos? Quanto medo estava sentindo? O que deixou de fazer naquele dia para poder levar o filho do condado de Fairfield, em Connecticut, até Boston? Quantas contas deixou de pagar? Quanta grama deixou de cortar? Que aviãozinho deixou de consertar ou pilotar para fazer alguma coisa que talvez ajudasse aquele menino, o menino que pulava como se estivesse em chamas toda vez que precisava fazer xixi? O menino com quem não havia nada de errado, de acordo com o médico. Que diabos se esperava que ele fizesse? Ele não devia ser firme, afinal? Não era assim que as crianças aprendiam? Não era assim que todo homem agia com os filhos?

Eu fico imaginando se ele se preocupava desse jeito. Ou se simplesmente acreditava que aquilo que estava quebrado, fosse o que fosse, podia ser consertado através da força bruta. Que algo torto pudesse ser reparado a marteladas.

Volto a Nova York e vou morar num conjugado pequeno e iluminado, de onde posso ver o Empire State Building de todas as janelas. Beijo uma pessoa no Dia da Independência, um amigo que se torna mais do que isso, e ele me empresta dinheiro para eu poder pagar o apartamento. Vendo uma fotografia que eu tinha adquirido fazia muito tempo e, com esse dinheiro e com o dinheiro que peguei emprestado, consigo morar em Nova York, ficar sem trabalhar pela primeira vez desde a adolescência e encontrar, com ajuda, uma maneira de encarar os dias e as noites sem ser preciso escapar deles. Aos poucos, as manhãs se tornam apenas manhãs, não horas aterrorizantes em que preciso lidar com as consequências de só ter voltado para casa ao nascer do dia, e as noites não são mais gastas imaginando desculpas e estratagemas para o dia seguinte. Os dias são apenas dias, não palcos onde estou coreografando uma montagem teatral complicada — as luzes, as falas, os figurinos — para poder controlar as consequências, me proteger, obter o que eu acho que preciso.

Voltar ao mundo editorial me parece impossível. Tenho a impressão de que é um campo arrasado onde nada mais irá germinar. Mas estou enganado. Uma mulher que conheci numa festa anos antes me liga, me convida para almoçar e, no almoço, me oferece um emprego. Fala de coragem, de forças grandiosas, de saber que não haverá mais danos; nós comemos, tomamos café e eu me sinto em casa. Os primeiros dias são aterradores, mas não da mesma forma que antes. Não me preocupo em ser uma fraude ou em ser desmascarado como em todos aqueles anos. Chego à nova agência representando apenas um autor — Jean, que, quando eu lhe disse que ia voltar a trabalhar, escreveu para seu renomado agente para dizer que ia trocá-lo por mim. Ao passar pelas portas lustrosas da agência naquele dia, de alguma forma consigo me sentir confiante, saber que se essa for a última vez, se Jean for minha última cliente, mesmo assim eu vou ficar bem — o céu não vai desabar, é que aquilo apenas não era para ser. E aquele dia acabou não sendo o último. Ainda trabalho no mesmo escritório e tenho outros clientes para fazer companhia a Jean.

Por muito tempo ainda vou ouvir a voz desesperada de Noah me implorando — tantas vezes — do outro lado da porta, do outro lado da mesa, do outro lado do telefone. Vou me lembrar de todas as noites no Knickerbocker, de cada drinque a mais que bebi escondido enquanto ele ia ao banheiro. Vou me lembrar de Noah indo ao centro de reabilitação de Oregon durante nossa semana de visitas, parado no estacionamento com sua jaqueta cinza de botões e sua barba, tão limpo, honesto, fiel e amoroso. Vou me lembrar de como fiquei agradecido por ele não ter me abandonado. Vou me lembrar de como suas lindas mãos me ergueram naquela última vez e de como desabei para longe do alcance delas — porque precisava ser assim — e atravessei a porta sozinho.

No ano antes de eu voltar a trabalhar, ligo para meu pai pelo menos algumas vezes por semana, em geral de manhã, enquanto caminho ao longo do rio Hudson, num parque cheio de árvores que eu nem sabia que existia. Conversamos pela primeira vez em muitos anos e, a cada telefonema, fico espantado. Na primeira vez em que fazemos isso, ainda estou em White Plains. O telefone toca no quarto, eu atendo e ele está na linha. "Willie", diz depois de algum tempo por entre lágrimas, "eu sinto muito." Meu pai me conta tudo o que se lembra e eu escuto em silêncio, aliviado por não ter inventado tudo aquilo. Digo a ele que não estou lá por culpa dele e que meus problemas de infância não causaram o que aconteceu, só moldaram. O tempo para durante aquele telefonema; quero que ele acabe e, ao mesmo tempo, que dure para sempre.

Em outubro daquele ano, meu pai pede que eu vá de Connecticut ao Maine em seu Cessna. O pequeno aeroporto fica na mesma rua onde morávamos, a poucos minutos da minha escola de ensino médio. Eu me esquecera de como os aviões pequenos são barulhentos, de como são leves e de como meu pai fica confiante dentro de um. Suas mãos deslizam com tranquilidade e segurança pelas mesmas engenhocas, alavancas, luzes e botões nos quais ele mexia quando eu era pequeno, e tudo aquilo continua tão misterioso e incompreensível quanto antes. Decolamos num campo que também é uma pista. Tudo sacoleja, como acontece com os aviões pequenos, e então, naquele centésimo de segundo em que sempre parece que pó de fada foi espalhado, nós deixamos a terra, nos erguemos bem rápido, cada vez mais para o alto, sobrevoando cidades, escolas e a colorida decomposição do outono. O barulho do motor e do vento nos impede de conversar. Há uma pilha de mapas em meu colo. Lado a lado, lançados no ar, acima dos campos, das colinas e das estradas onde tudo aconteceu, nós permanecemos em silêncio.

O vale

Ele tem quase dois anos. Já está andando. Gorducho e alegre, come tudo o que põem na frente dele e sempre quer mais. Ele se perde em devaneios e se atira no chão, tendo ataques incontroláveis de riso. Sua irmã é magra e loura, seu pai é moreno e tem cheiro de fumaça e sua mãe são todas as outras cores, todas as formas, todos os cheiros. Ela tem os olhos mais azuis do mundo. Sua mãe planta flores por todo canto — em jardins demarcados com pedras que vão do gramado até o bosque, ao longo das trilhas, em vasos que põe na janela, nos degraus.

Ela está plantando flores agora e ele está ali perto, em cima de um cobertor repleto de brinquedos. Os dois estão bem na beira do gramado atrás da casa, onde ele se ergue e depois vai descendo até formar o que eles chamam de O Vale, uma concavidade úmida com grama pontilhada de pedras que afloram do solo de granito. Na parte alta do gramado e por todo o vale há arbustos de mirtilo e, atrás deles, o bosque.

Sua mãe o chama com sua vozinha melodiosa de trás de um gigantesco chapéu de palha. Os dois gatos estão sentados perto do cobertor, observando-o. Ele os ouve ronronar e quer segurá-los, de alguma maneira trazer a maciez e os ruídos deles para mais perto, para dentro de si. O menino estica o braço e os gatos miam, andam pacientemente para longe e se colocam numa parte do gramado que ele não consegue alcançar.

Atrás dos gatos, a grama verde-escura se estende até as árvores. Essas coisas, esses lugares, o mundo todo além do perímetro imediato de seu cobertor e de sua mãe, começaram a lhe ocorrer recentemente. Cada novo milagre vai nascendo, vivo e sedutor. Uma abelha, um avião voando lá em cima, um formigueiro perto do cobertor, um vento forte uivando por entre as árvores. Ele quer ver tudo de uma vez, num só instante.

Esse é o primeiro verão em que ele sabe andar. O primeiro verão em que consegue ir para mais perto do que deseja. E para mais longe do que não deseja. O menino ainda usa fraldas, mas não será por muito tempo. Olha para além da parte alta do gramado e do vale e vê os galhos e as folhas que tremeluzem, surgindo de um batalhão de troncos. Um pé de vento deixa as folhas histéricas e o menino ouve o som como se ele fosse a água saindo com força da torneira quando sua mãe prepara seu banho. Mas esse novo som é maior, mais selvagem, mais excitante do que qualquer coisa que já escutou.

Sua mãe, envolvida pelas flores, cantarola uma canção, espanta as moscas do rosto. Ele fica de pé no cobertor e oscila sobre as pernas gordinhas. Uma rajada de vento nas árvores cria outro caos momentâneo. O coração do menino pula e ele se inclina para as copas das árvores do outro lado do vale e começa a andar. Os pássaros que voam baixo, a grama verde que se ergue, os insetos que zumbem, as sementes e as folhas que o verão descartou flutuando em câmera lenta no ar, os arbustos de mirtilo logo antes das árvores — tudo isso reluz diante dele. Cada novo e deslumbrante centímetro o chama, e ele vai andando cada vez mais rápido, de forma ainda mais deliberada e veloz, até que andar não é mais suficiente e ele começa a correr. O menino está correndo para o alto do gramado, para perto dos galhos que farfalham, das folhas que cintilam, para a avalanche de sons.

Ele ultrapassa o topo e, de repente, a descida do outro lado é mais íngreme do que ele esperava. Suas pernas bambeiam e o menino se esforça para não cair. Está correndo mais rápido do que nunca e, por um segundo, sente-se distante de seu corpo — como se um houvesse deixado o outro e ele estivesse apenas observando aquela nova velocidade, e não provocando-a. O gramado, suas pernas, seu corpo, tudo se transforma num borrão e ele começa a se soltar, a permitir que o *momentum* o leve.

Um vento forte invade o vale e ele se sente prestes a voar, sente que a terra vai soltá-lo e que ele se lançará para além do gramado, por sobre a horta e o balanço, até as copas das árvores. Sua mãe o chama de algum lugar. Ela está gritando seu nome, mas sua voz é pequena, conhecida, e ele já a deixou para trás. Tudo que já chamou sua atenção, todas as coisas grandes ou pequenas de que se lembra desaparecem à medida que ele segue em frente, batendo com força as pernas no chão, sentindo o ar chapinhando seu rosto, o terror e a surpresa explodindo em seu pequeno coração.

Enquanto ele tomba vale abaixo — outra primeira vez, outra nova mágica —, uma calma, como um pacífico relâmpago, atravessa seus membros frenéticos, congelando cada centímetro dele, segurando-o meio segundo antes que ele caia, arranhe os cotovelos, joelhos e rosto nas pedras protuberantes e grite com o choque, antes também que sua mãe desça correndo num tumulto de chapéu, mãos sujas e lágrimas. Antes que ela o aninhe no corpo e que ele esqueça o medo por estar em braços conhecidos, acariciado por mãos que cheiram a terra e flores. Antes de tudo isso, há uma calma abençoada e maldita surgindo no zênite da velocidade dele, no auge de seu desejo, no momento que acaba antes mesmo de se tornar um momento, mas que o fará arranhar joelhos, braços e rosto outras centenas de vezes para tentar recapturá-lo. Antes das coisas que ele sente que o esperam, apesar delas, e até mesmo por causa delas, o menino se inclina e então salta, na direção do vento, para longe.

Agradecimentos

Grande Força Que Surgiu: Jennifer Rudolph Walsh; Editor Perfeito: Pat Strachan; Editores Brilhantes: Michael Pietsch, David Young; Sábio Amigo: Robin Robertson; Mão Direita: Matt Hudson; Equipe Amada: Jonathan Galassi, Nick Flynn, John Bowe, Jill Bialosky, Christopher Potter; Carinho e Conselho: Adam McLaughlin, David Gilbert, Lili Taylor, Cy O'Neal, Julia Eisenman, James Lecesne, Chris Pomeroy, Laura Gersh, Courtney Hodell, Eliza Griswold, Lee Brackstone, Lisa Story, Roger Mamix, Susannah Meadows, Ally Watson, Monica Martin; Amor: Jean Stein; Herói: Kim Nichols; Minha Família Tão Forte: Mãe, Pai, Kim, Lisa, Sean, Matt, Ben, Brian.

1ª EDIÇÃO [2011] 1 reimpressão

ESTA OBRA FOI COMPOSTA EM MINION PELO ACQUA ESTÚDIO E FOI IMPRESSA PELA RR DONNELLEY EM OFSETE SOBRE PAPEL PÓLEN SOFT DA SUZANO PAPEL E CELULOSE PARA A EDITORA SCHWARCZ EM ABRIL DE 2011